日本の未来は島根がつくる

It's my turn!

人口減少時代の地域づくり69のヒント

2011－2023

山陰中央新報社

著＝田中輝美
企画＝MYTURN

はじめに

「日本の未来は島根がつくる」というタイトルを見て、どんな風に感じられたでしょうか。「うんうん、わかる！」という方、「正直ピンとこない…」という方。どちらの方にも発見があり、おススメできる本だと思っています。

この本は、島根県浜田市出身・在住のローカルジャーナリスト、田中輝美が執筆しています。大学卒業後に山陰中央新報社に入社し、報道記者として勤めました。２０１４年に退社して独立。翌２０１５年から２０２０年まで6年間、山陰中央新報で「しまね未来探訪」という月に一度の連載を69回にわたって担当しました。その連載を中心に、加筆してアップデートしたものをまとめています。言い換えると、２０１０年代から約10年間の島根の記録になっているということもできます。

この時期は、日本全体が人口減少ということに向き合い始めたタイミングでした。連載初回には次のように書きました。「島根には、何もない？　いえいえ、全国に先駆けて人口減少や過疎高齢化に直面してきたからこそ、未来に向けてチャレンジする人たちがたくさんいます。課題先進県から、課題『解決』先進県へ。日本の未来は、島根がつくる。島根を拠点に取材活動をするローカルジャーナリストとして、島根のチャレンジャーたちの動きや想《おも》いを、訪ね歩いて紹介します」。

そこでこの本では69回の連載を5章に分け、島根が先進的であり、かつ、これからの人口減少時代にも大切になる5つのキーワードや視点をピックアップして紹介します。状況がその後変わっているものもありますが、その当時の空気や勢いを大切にするためそのまま掲載し、現在の状況などはその章の最後のコラムにまとめる形としました。掲載当時の記録であるという点にご留意ください。また、役割を終えたり、新型コロナウイルス感染症の影響で休止したりしている活動も含まれていますが、だからといって意味がなかったわけではなく、記録して残すことは重要だと考えています。

後半はなぜ島根が課題解決先進県となったのかなどの背景の解説と、続いて今に生きる世代がこの本をどう読むか、島根に関わる若い世代3人による座談会という構成にしています。

事例や物語に関心がある方は第1章から、島根について初めて学ぶ人や前提となる基礎知識から学びたい方は解説から読み進めてもらってもいいかもしれません。

島根で暮らす人、これから暮らしていきたい人、そして島根を学び、島根で学びたい人が、地域のことや社会のことを自分事として考えていくきっかけやヒントになることを願って。

田中輝美

島根県の基礎データ

全国

人　口　124,947,000人
面　積　378,000㎢
高齢化率　29%

島根県

人　口　657,842人
面　積　6,708㎢
高齢化率　34.8%

	人口(人)	面積(㎢)	高齢化率(%)
❶ 松江市	200,880	572.99	30.3
❷ 浜田市	52,688	690.68	36.5
❸ 出雲市	172,428	624.32	30.4
❹ 益田市	43,753	733.19	39.3
❺ 大田市	31,793	435.34	41.2
❻ 安来市	35,740	420.93	38.4
❼ 江津市	22,067	268.24	40
❽ 雲南市	34,646	553.18	41
❾ 奥出雲町	11,296	368.01	46
❿ 飯南町	4,432	242.88	47
⓫ 川本町	3,117	106.43	44.7

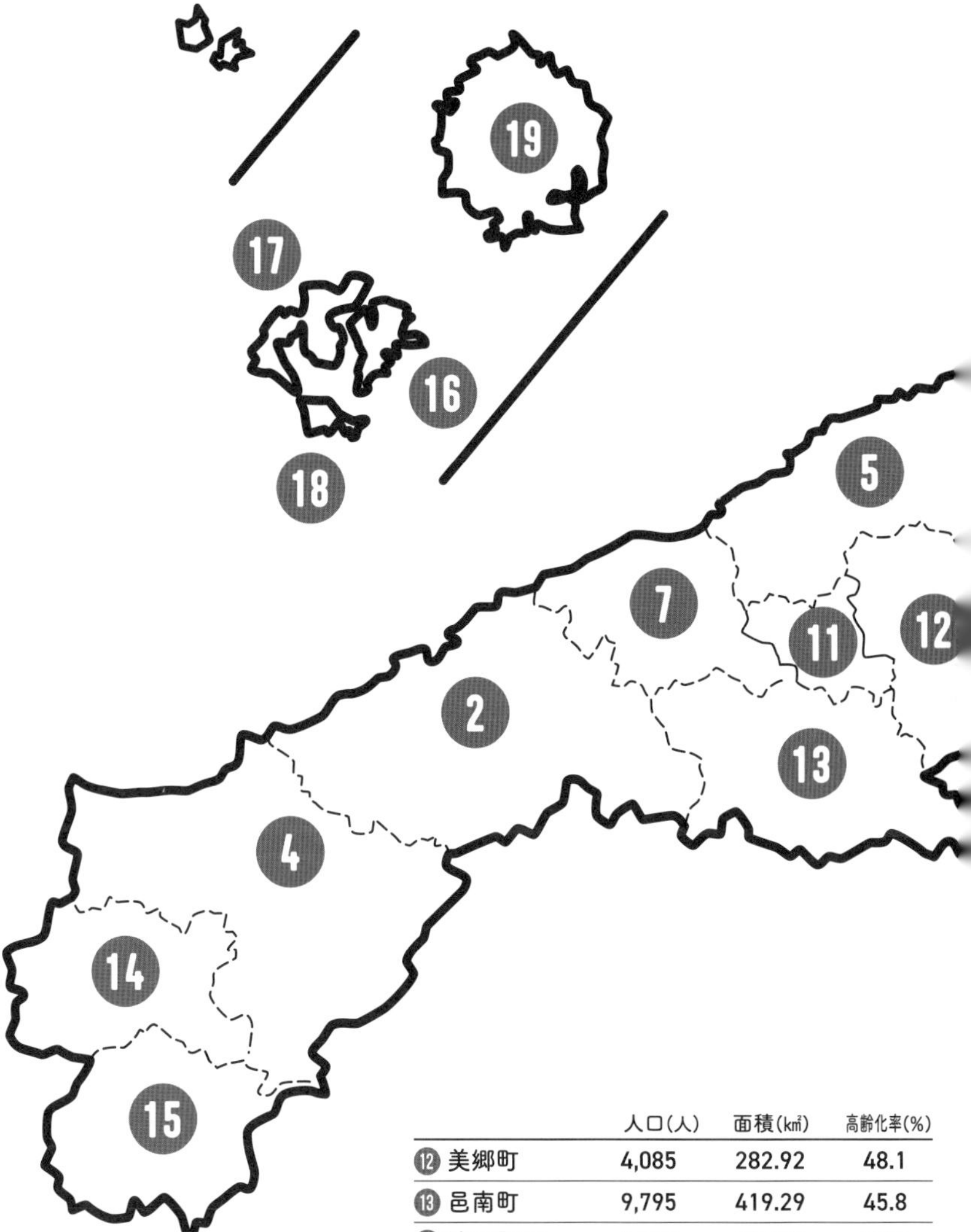

	人口(人)	面積(㎢)	高齢化率(%)
⑫ 美郷町	4,085	282.92	48.1
⑬ 邑南町	9,795	419.29	45.8
⑭ 津和野町	6,618	307.03	50.2
⑮ 吉賀町	5,759	336.5	46
⑯ 海士町	2,314	33.44	38.5
⑰ 西ノ島町	2,660	55.97	47
⑱ 知夫村	607	13.7	45.3
⑲ 隠岐の島町	13,164	242.82	42.4

※データは2022年10月1日現在

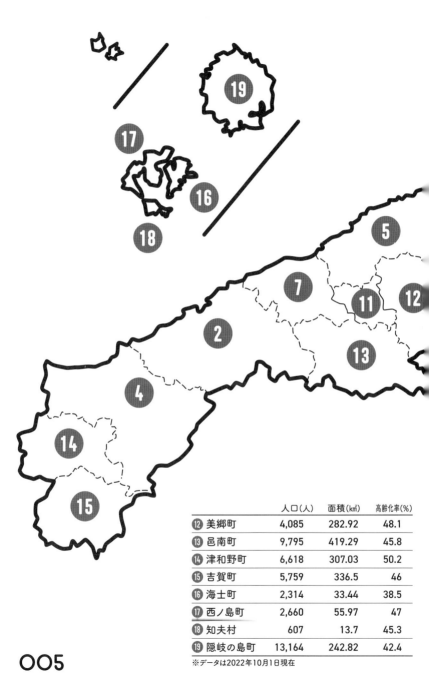

目次

はじめに ―― 002
島根県の基礎データ ―― 004

第1章　ないならつくる

01 マルチワーカー（海士町）　ユニークな発想で進化 ―― 012
02 島根自虐カレンダー　「愛」と「余裕」の裏返し ―― 014
03 シマネプロモーション（浜田市）　地域にないならつくろう ―― 016
04 島根大の「ふるさと魅力化」講座　地域づくりコーディネーター養成 ―― 018
05 学校魅力化　結果は後からついてくる ―― 020
06 劇団ハタチ族（雲南市）　地方でできないことはない ―― 022
07 一畑電車の挑戦（出雲市）「体験運転」の道を開く ―― 024
08 隠岐島前病院（西ノ島町）　離島で最先端の地域医療 ―― 026
09 石見麦酒（江津市）　同業者はライバルではなく仲間 ―― 028
10 C！C！C！（松江市）　楽しいまちは自らつくる ―― 030
11 JACAGO（出雲市）　ビニールハウスを居酒屋に ―― 032
12 合同会社やもり（津和野町）　持続可能な林業を仕組み化 ―― 034

13 MASCOS HOTEL 益田温泉（益田市） まるごと地元とコラボ ―― 036
14 スマイルファクトリー（益田市） 軽キャンピングカー全国発信 ―― 038
第1章のまとめコラム ―― 040

第2章 らしさを生かす

15 NPO法人くらしアトリエ（雲南市） 暮らしを楽しむのは自分次第 ―― 042
16 縁雫（松江市） 雨を観光資源に取り込む ―― 044
17 里山イタリアンAJIKURA（邑南町） ここでしか味わえない食を ―― 046
18 三江線沿線魅力化プロジェクト 魅力掘り起こし発信を ―― 048
19 つむぎ（雲南市） 駅がまちづくりの拠点に ―― 050
20 石見神楽面・小林工房（大田市） 守るためにも攻めの変化 ―― 052
21 里山パレット（大田市） 持続可能なものづくり ―― 054
22 江の川よ〜いドン！ 廃線後も元気な地域づくり ―― 056
23 坊主バー・蓮敬寺（江津市） 寺の公共性を取り戻そう ―― 058
24 江の川鐵道（邑南町） つくるより生かす時代 ―― 060
25 真っ白な観光マップ（隠岐の島町） 新しい感性で来島者に提案 ―― 062
26 ラムネMILK堂（飯南町） 固有のローカルの価値見直す ―― 064
27 ソットチャッカ（吉賀町）「釜炒り茶」特産品に ―― 066
28 INAKAイルミ（邑南町）「明かり」絶やしたくない ―― 068
第2章のまとめコラム ―― 070

第3章　つながりは力

29 島大Ｓｐｉｒｉｔｓ！（松江市）　つながろう　学生と地域――072
30 しまコトアカデミー（東京）　島根との新しいつながり方――074
31 シマブロ！　１００人で起こす化学反応――076
32 ＢＯＯＫ在月（松江市）　本と本好きが集う松江に――078
33 島根県中小企業家同友会　連携で魅力的な職場を――080
34 しまね協力隊ネットワーク　仲間のつながりを力に――082
35 コメッコ共同体　離れていても貢献できる――084
36 離島キッチン　つなげて発信力を高める――086
37 飲み会ＧＯ説　企業と学生の幸せな出会い――088
38 草刈り応援隊（雲南市）　外の力を借りて課題解決――090
39 一般社団法人しまね協力隊ネットワーク　活動の幅広げ着実に進化――092
40 島根本大賞　大きく育て「ご当地本」――094
41 しまねＣｈａｉｒＳ　フリーランスの輪広がる――096
42 離島百貨店　島同士　横にスクラム――098
第３章のまとめコラム――100

第4章　地元で育てる

43 明日の海士をつくる会（海士町）「自分事」として語り合う――102

44　てごねっと石見（江津市）　ビジネスプラン募り人材誘致　104
45　ポリレンジャー（松江市）　若者よ　政治に参加しよう　106
46　江津市ビジネスプランコンテスト　自分の夢がかなうまち　108
47　しまね卒業生カイギ　古里とつながり続ける場に　110
48　雲南創作市民演劇（雲南市）　まちづくりはひとづくり　112
49　島根人生EXPO　多様な働き方に出会おう　114
50　Cocoro Ribbon（松江市）　皆が幸せに働く社会に　116
51　Meeting Point（江津市）　福祉の魅力を若者が発信　118
52　教育型下宿（津和野町）　旅館の空室を県外生に活用　120
53　益田市真砂地区　地域内の〝よそ者〟で活性化　122
54　mr．kanso浜田店　学生がつくる地域の居場所　124
55　島前高校卒業生フェスタ（海士町）　帰るきっかけに「火の集い」　126
56　キヌヤ（益田市）　LB強化　地元生産者と共存　128
第4章のまとめコラム　130

第5章　みんなが安心

57　FAAVO島根　面白い地域づくりにも　132
58　おっちラボ（雲南市）　地域ぐるみで健康づくり　134
59　スクールMARIKO　賛否を超えて社会課題を学ぶ　136
60　NPO法人エスペランサ（出雲市）　誰もが安心できる社会に　138

61 西ノ島町コミュニティ図書館　「常識」超える新しい場を ―― 140
62 3・11雲南・出雲 to TOHOKU　震災を自分事にしよう ―― 142
63 知夫村図書館　島全員で学校の本共有 ―― 144
64 きっかけ食堂　東北の教訓生かし防災学習 ―― 146
65 アトリエスノイロ（浜田市）　障害者の安心できる場所 ―― 148
66 防災グループUNIT（雲南市）　災害時に役立つ知識提供 ―― 150
67 雲南市民バス　JR木次線との接続改善 ―― 152
68 飲食店応援キャンペーン　公務員仲介　新たな需要 ―― 154
69 空水土 coupmead（益田市）「エシカルな」はちみつ ―― 156
第5章のまとめコラム ―― 158

しまね未来探訪・連載を振り返って ―― 159
解説　島根の過疎の歴史と先進性　田中輝美 ―― 162
島根が気になる20代座談会 ―― 170
「日本の未来は島根がつくる」発刊に寄せて　株式会社MYTURN　田中りえ ―― 179

第1章

ないならつくる

「ないものが多い」と言われがちな島根。でも、ないことを嘆く必要はない。ほしいものは自分たちでつくったらいいから。

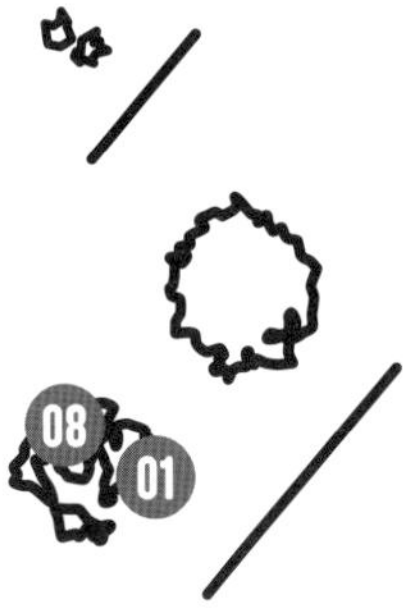

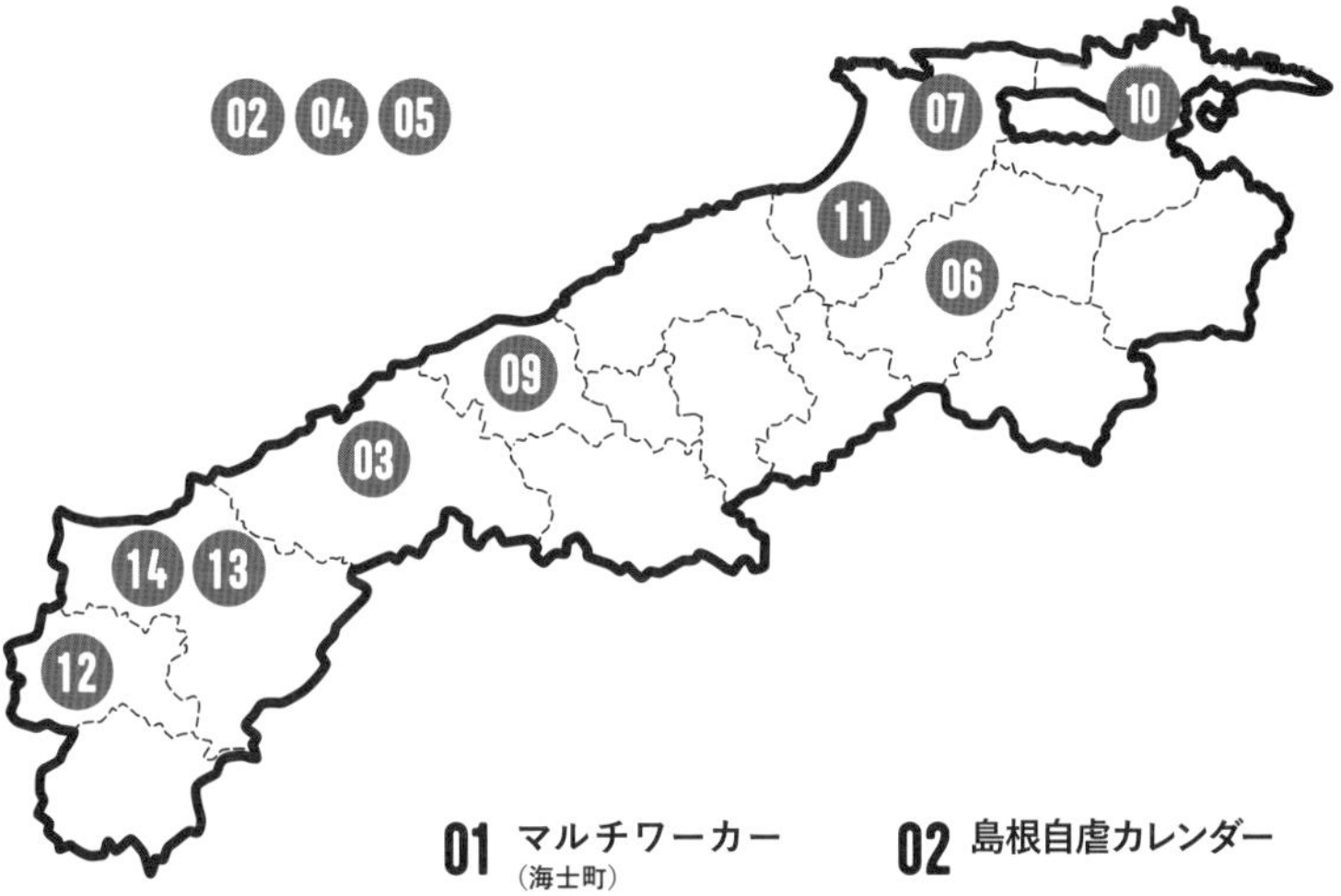

01 マルチワーカー（海士町）

02 島根自虐カレンダー

03 シマネプロモーション（浜田市）

04 島根大の「ふるさと魅力化」講座

05 学校魅力化

06 劇団ハタチ族（雲南市）

07 一畑電車の挑戦（出雲市）

08 隠岐島前病院（西ノ島町）

09 石見麦酒（江津市）

10 C!C!C!（松江市）

11 JACAGO（出雲市）

12 合同会社やもり（津和野町）

13 MASCOS HOTEL 益田温泉（益田市）

14 スマイルファクトリー（益田市）

01

ユニークな発想で進化
マルチワーカー

海士町

島根県海士町の図書館で、資料を熱心に読む高島悠人さん（27）を見つけました。恥ずかしがって隠す資料を強引に見ると「リネン」の文字。あれ、確か、町観光協会のスタッフだったはず…？　なんと、観光協会が出資して設立した「子会社」でリネンサプライをする「島ファクトリー」が設立され、現在はその社員として、島内のホテルと民宿2軒にシーツなどを貸し出して工場で洗濯しているというのです。

なぜ、観光協会がリネンサプライなのでしょうか。島内には大量の洗濯物を処理できる施設がなく、それぞれ輸送費をかけて本土に送っていました。島外におカネが「流出」していたのです。それを地域内に残し、賃金や雇用として循環させるのが狙い。これまでの地域づくりでは、外貨獲得という「入口」に目が向けられがちでしたが、得たおカネをどう使うかという「出口」も同じくらい大切ですよね。リネンサプライという重要なサービスを外注しているという問題意識もありました。

「シーツ1枚を折る作業に最初は40秒かかったけれど、20秒に短縮できた。日々進歩があるんです！」と妙に楽しそうな青山敦士社長

観光客を迎える青山敦士さん（左）と高島悠人さん＝島根県海士町福井、菱浦港

（31）。高島さんと二人、工場内で汗だくになりながら、シーツを洗い、たたんでいるそうです。高島さんは実は、図書館で出会った日はオフ。研究を怠らない一生懸命さが伝わってきて、思わずコーヒーをごちそうしました。

　松江市出身の高島さんが移住してきたきっかけが、町観光協会の「マルチワーカー」というユニークな制度でした。春はイワガキ、夏は宿泊業…。単独では雇用が難しくても、組み合わせれば年間通じた雇用枠ができる。繁忙期の人手を確保したい企業側のニーズにも合っています。職場が移り変わるため、タフさが求められますが、注目している雇用創出策の1つです。現在も島内にはマルチワーカーが1人います。

　観光協会はこのほか、海士や全国の離島の食べ物を移動販売する「離島キッチン」といった事業も独立採算にして、将来はホールディングスのような形を目指しているそうです。どんどん進化する海士町観光協会。目が離せませんね！

［2015年5月22日掲載］

02

「愛」と「余裕」の裏返し
島根自虐カレンダー

「47番目に有名な県」。自虐的に島根を表現するキャッチコピーで大人気の「島根県×鷹の爪スーパーデラックス自虐カレンダー」。コピーの内容だけに目を奪われがちですが、この企画にGOサインを出した島根県の度量の広さもあっぱれなのでは…。2011年にちょうど山陰中央新報の東京支社にいてカレンダー発売を取材した私は、当時からひそかにそう考えていました。

自虐コピーのきっかけは、アニメ「秘密結社 鷹の爪」の主人公・吉田くんが雲南市吉田町出身の設定という縁があったことから、鷹の爪の映画公開に合わせて県が島根をPRする広告を発注したことです。

制作元のDLE（東京）からメールで届いたコピー案。「いいえ、砂丘はありません」「世界遺産があると言っても、信じてもらえない」。当時の県の担当・藤原弘貴さんは「これどうしよう、ヤバイな」と青ざめました。「でも事実だし…クリエイターの作品にケチをつけるのはよくないし…」。悩みましたが、上司の理解もあり、藤原さんはメールへの返信を見送ります。それは結果的に「黙認」という形になりました。

こうして世に出たコピーは、大阪コピーライターズ・クラブの最

今では貴重な2011年のカレンダーを手にする藤原弘貴さん＝松江市殿町、島根県庁

優秀賞を取るなど評判になり、カレンダー化が持ち上がります。とはいえ、島根県内での反応を考えると大々的に売る勇気はなく、ひっそりと300部を印刷し、東京の島根県アンテナショップ「にほんばし島根館」で地味に扱っていました。

一変したのは、共同通信がニュースとして取り上げてから。テレビや新聞、ラジオの取材が殺到して3週間で完売、増刷した500部も飛ぶように売れました。その後も毎年印刷部数は増えて島根県でも取り扱われるようになり、14年は3万6千部を完売。カレンダー業界では異例の売れ行きとなっています。

最初こそお叱りの電話がかかってくるなど誤解もあったものの、カレンダー一枚一枚に「負けるな！島根県」と書いてあるように、自虐の裏には、エールと愛が込められているのです。生みの親である映像クリエイターのFROGMANさんに話を聞いたことがありますが、島根への愛や県に対する感謝、そして「余裕がなければ自虐はできない。自虐は余裕の裏返しなんだ」という想いが伝わってきました。納得！ですよね。

2016年版は26日に発売です

［2015年10月23日掲載］

03

地域にないならつくろう シマネプロモーション

浜田市

地元のいい商品や魅力を形にして売り出す仕事。これまで地方にありそうでなかった、そんな会社が浜田市にあります。「シマネプロモーション」です。

立ち上げたのは同市出身の三浦大紀さん。学生時代から国際問題への関心が深く、東京で故・橋本龍太郎元首相の秘書を務めた後、国際NGOの職員として働いていましたが、関心がふるさとへとどんどん向いていきました。

あらためて島根を見つめて感じたのは「地域をうまく編集する人がいない」というもどかしさでした。いいものや魅力がないわけではない。たくさんあるのに、知られていない、伝わっていない、活かされていないという課題でした。三浦さんはプロモーションや企画などに職業として携わったことはありませんでしたが「ないなら、つくればいい」とUターンを決意します。

江津市のビジネスプランコンテスト「Go-con2011」に、シマネプロモーションの構想を持って応募すると、課題解決プロデューサー部門大賞を受賞。コンテストを運営するNPO法人「てごねっと石見」のスタッフとして働きながらシマネプロモーション

事務所で打ち合わせをする三浦大紀さん（左）とシマネプロモーションの社員＝浜田市牛市町

を立ち上げ、２０１４年に株式会社化しました。事務所は築80年の屋敷をリノベーション。コワーキングスペースも兼ねています。

　地元のスーパーマーケット「キヌヤ」をブランド化しようと、ロゴ入りＴシャツを販売すると、大人気。また、社員の一人が自分の結婚式で使いたいという想いから、民芸運動やお茶といった島根の風土が育んだ工芸品と食品を詰め合わせる引き出物のセット「ＹＵＴＴＥ《ユッテ》」を開発しました。実際に使って味わって、味もデザインも妥協なく選んだ逸品ばかりを、同じく島根が誇る技術である仕立箱に入れています。口コミやインターネットのサイトを通じて少しずつ広がり、昨年は20件の注文がありました。

　三浦さんは「見れば見るほど課題や魅力が見えますし、解決するために地域に求められている〝役割〟がたくさんあることにも気付きました。そこにビジネスの種があります。ないならつくればいいと思っています」と話します。今年は松江でも新しい企画が始まる予定。もっともっと島根が面白くなりそうです。

［２０１６年１月29日掲載］

04

地域づくりコーディネーター養成
島根大の「ふるさと魅力化」講座

全国で初めての注目講座がこの春、島根大学（松江市）で始まりました。教育から魅力ある地域をつくるコーディネーターの養成講座です。

教育魅力化コーディネーターは教員ではありません。校内に席を置きながら学校と地域をつなぐことで、生徒と地域にとって魅力ある教育を住民とつくる役割を期待されています。

なぜそんな耳慣れない職業の養成講座が島根で？と思われたかもしれません。実は、少子高齢化と人口減少に直面する島根は、全国に先駆けて県立高校の魅力化に取り組み、学校はもちろん地域の活力にもつながる実績を挙げてきた先進地なのです。統廃合寸前だった県立隠岐島前高校が離島で異例のクラス増を実現させた例は特に有名です。

今回の講座は、教育魅力化の成否を握っていながら、これまで各校が独自に確保していたコーディネーターを養成し、質を高めるのが狙い。人口減少や学校統廃合といった課題を抱える他県でも教育魅力化が広がっており、島根にはコーディネーターを紹介してほしいという要望が多く届いていたのです。こうした声に応え、各地の

代表して挨拶する受講生＝松江市西川津町、島根大学

取り組みをさらに後押しするために、実績のある海士町と飯南町が島根大と連携して4月から開講しました。講師は、島前高校で取り組んできた岩本悠さんらが務めます。

全国から32人の応募があった中から1期生として入学したのは16人。魅力化に携わっている人や、塾やNPO、民間企業に勤めています。県内からは4人、残りは岩手県や京都府など県外在住者です。遠くからでも受講できるように、インターネットを使った遠隔授業を駆使するのも特徴。魅力化の最前線である海士町と飯南町での現場実習なども含め、1年をかけて120時間以上を履修するプログラムです。

4月15～17日、島根大学で入学式と講義がありました。受講生の一人、奥出雲町の横田高校魅力化コーディネーター長谷川由樹さんは「他地域で取り組んでいる人と一緒に学び、成長していきたい」と目を輝かせます。日本の教育を変える可能性を秘めたうねりがここから始まるのだと、見ている私もワクワクしました。次回の未来探訪では、実際に教育の魅力化とはどんな取り組みを行っているのか、紹介します。

［2016年4月29日掲載］

05 結果は後からついてくる 学校魅力化

島根県内ではいま学校魅力化という取り組みが広がっています。魅力化とは聞き慣れないかもしれませんが、実際にどんな取り組みなのか、全国でも先進事例として知られる県立隠岐島前高校（海士町福井）を見てみたいと思います。

背景には、統廃合の危機がありました。同校の２００８年度の入学者は28人で、全学年１クラスです。ただ、当時の校長は考えました。「高校に魅力があれば生徒は来る。存続、存続というのはマイナスだ」。魅力ある学校をつくろう——。大手企業で人材育成に携わっていた岩本悠さんを迎え入れ、海士、西ノ島、知夫の３町村は手探りでプロジェクトをスタートさせました。

カリキュラムを大幅に変更し、地域の課題解決学習などで人間力を伸ばす「地域創造コース」と、生徒と保護者のニーズが高い「特別進学コース」を導入。「夢探究」というチーム型授業でキャリア教育も充実させる一方、空き家を活用した公設の塾「隠岐國《おきのくに》学習センター」も設立し、高校と塾が連携して生徒一人ひとりが目指す進路が実現できるような環境を整えました。

そして、刺激や競争が少ないという少人数の学校が抱える課題を解決しようと、全国から意欲の高

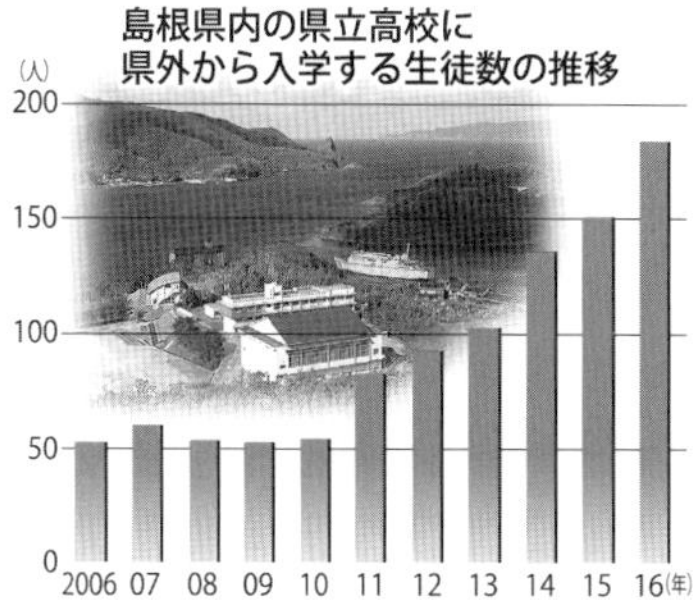

島根県内の県立高校に県外から入学する生徒数の推移

い入学生を募る「島留学」を始めました。最初こそ周囲から「集まるわけがない」と言われましたが、県外での説明会やメディアで紹介されて共感が広がり、入学者数は増加に転じました。16年度は島外から29人、地元から36人、計65人が入学。全校生徒は１８０人となり、最も少なかった08年度の倍になりました。同校の常松徹校長は「海外への研修に積極的に手を上げたり、自ら地域に出てイベントを仕掛けたりする生徒が増えてきた。学びを主体的に実践に生かしている」と手応えを感じています。

同校の成果を踏まえ、県教育委員会は「離島・中山間地域の高校魅力化・活性化事業」として8校を対象に同様の取り組みを支援。そのほか、県外中学から生徒を募集する高校は19校に増え、16年度は計１８４人を受け入れました。島根発の学校魅力化は注目されて県外でも行われるようになり、視察が絶えません。

このプロジェクトのポイントは、存続ではなく魅力化を目指したことです。魅力的な存在になれば、存続という結果はついてくるのです。これは学校だけではなく組織や地域にも当てはまる、本質的な視点だと思います

［２０１６年5月27日掲載］

06

地方でできないことはない
劇団ハタチ族

雲南市

前回紹介した、沿線の魅力化プロジェクトが行われているJR三江線で7月中旬、珍しい「演劇列車」が走りました。貸し切り車両の中がステージ。車両の端から端まで使って演じる役者の迫力に、乗客は大満足でした。

演じたのは雲南市を拠点とする劇団ハタチ族。団長の西藤将人さんは米子市出身で雲南市に移住してきました。他の団員6人もほとんど同市在住です。

2015年、前代未聞のことを成し遂げ、業界では知る人ぞ知る有名劇団になりました。何をしたのかというと…「365日公演」。元日から毎日、雲南市内で演劇をするという、誰も挑戦したことのないプロジェクトです。主な会場は同市のチェリヴァホールのロビーに設けた手作りの簡易舞台。毎日本番をこなしながら別の演目の稽古をし、脚本やキャスティングも考える。どれだけ大変か、想像がつきますでしょうか。実際に本番前日に脚本ができたことや、稽古ができないまま本番を迎えた演目もありました。

しかも、自己満足になっては意味がないと観客がゼロになったら365日公演を終えるという条件付き。雲南市の人口は4万人。直前まで観客が現れず終了を覚悟したり、役者3人に観客3人だった

JR三江線の貸切車両の中で
演劇をする劇団ハタチ族

りしたこともありました。

　それでも少しずつ固定客も増え、迎えた最終日の大みそかにはチェリヴァホールの大ホールを満席にする527人が来場。365日公演、そして大みそかの満席、どちらも「無謀」と言われていましたが、見事に達成しました。

　毎日必死に舞台をつなぐ姿を見て「私も何かできるはずと思うようになった」「自分は頑張っているのかと自問自答する」といった声が寄せられました。

　なぜそんなことを、と思われたかもしれません。演劇業界では、地方は公演も少なく、役者になるなら東京に行くというのが根強いと言います。だからこそ「地方でも毎日演劇が見られる」「東京に行かなくても役者はできる」。そう証明したくて、あえて難しいチャレンジをしたのです。「ここでしか見られないものを雲南でつくっていきたい」と代表の西藤さん。そして、島根で表現者が生活できるマーケットをつくることが目標の一つです。「地方だから」とあきらめずにチャレンジする人がもっと増えれば、地域ももっとおもしろくなる。なんだかワクワクしませんか。

［2016年7月29日掲載］

（追記　2020年末に解散しています）

07

「体験運転」の道を開く一畑電車の挑戦

出雲市

本物の列車を一般の人が運転できる「体験運転」。全国で大人気ですが、かつては一般人が運転することは考えられませんでした。その常識を覆し、道を開いた鉄道事業者が、松江市と出雲市を結ぶ一畑電車です。

利用者が年々落ち込んでいた一畑電車。2001年、当時運転士だった石飛貴之さんは上司に相談され、体験運転を思いつきました。しかし、返事は「できるわけないだろう」。鉄道を運転する免許は基本的に鉄道事業者の社員でなければ取れない仕組みです。ただ、鉄道規則を読みこんでいた石飛さんは、免許がなくても駅構内なら運転可能なことを知っていました。上司を説得し、企画書を書き上げると、管轄の国土交通省中国運輸局を目指します。

「常識で考えておかしいでしょう」。当然門前払いでした。石飛さんは何度も何度も通い、厚さ5センチにもなる書類をつくって創業88年の記念イベントとしてなんとか実現にこぎつけました。北海道から九州まで129人の応募があり、取材も殺到するなど大反響。ただ、ここまでの道のりの険しさを考えると、もう二度とできないとあきらめていました。

それが、一畑電車を舞台にした映画「RAILWAYS」公開を

体験運転を楽しむ人

機に、映画に登場する日本最古級の電車・デハニ50形の体験運転を恐る恐る申請してみると、すんなり許可が下りました。その後各地で行われるようになっていたのです。

　同社は２０１１年、デハニ50形の体験運転を事業の一つに位置づけ、レールを切り離して１５０メートルの専用線をつくりました。鉄道会社としては全国唯一。毎週金、土、日の体験運転には全国から人が詰めかけ、その数は毎年増えています。中には７８０回体験したという強者も。この４年で参加者１８００人（延べ８３００件）となりました。

　さらに、年間約１千万円に上る売り上げは、収益の柱の一つ。体験運転が、売り上げと乗客数の減少傾向に歯止めをかけた原動力の１つになっています。「ここまでになるとは思っていませんでしたが、本当にうれしいです」と石飛さん。

　業界の常識を覆すような「大きな改革」でも、元をたどれば、たった一人の熱意と粘りから始まっている。あきらめずに動き続ける先に未来はひらけるのだとあらためて感じました。一畑電車の体験運転、ぜひ足を運んでみてください。

［２０１６年10月28日掲載］

08

離島で最先端の地域医療
隠岐島前病院

西ノ島町

離島医療と言えば「Dr．コトー診療所」というテレビドラマがあったように、医師が一人孤独に奮闘する…というイメージではないでしょうか。それが敬遠され、医師不足を招いているという側面もあるのですが、そんな離島医療のイメージを覆す病院が島根県西ノ島町にあります。

隠岐島前病院（44床）。白石吉彦院長は、診療分野にこだわらず日常の病気に継続的に対応する「総合診療医」。同病院には、白石院長も含めて総合診療医が6人おり、常設の内科、外科、小児科のほか、隠岐にある浦郷、知夫の診療所を交代でカバーし合っています。そのため全員が休みをしっかりとり、島外での研修に出掛けてスキルアップすることもできます。

さらに、こうした日常を発信しているブログを見て、都会から研修希望者が次々と訪れます。2016年度の研修受け入れは医学生や看護学生、医師など100人。看護師はIターン者6人を採用しました。人材不足に悩む離島では異例です。病院経営は黒字を続け、島内での医療福祉保健の連携体制も整えて島の人々の生活を支えています。

白石院長は徳島県出身で、19

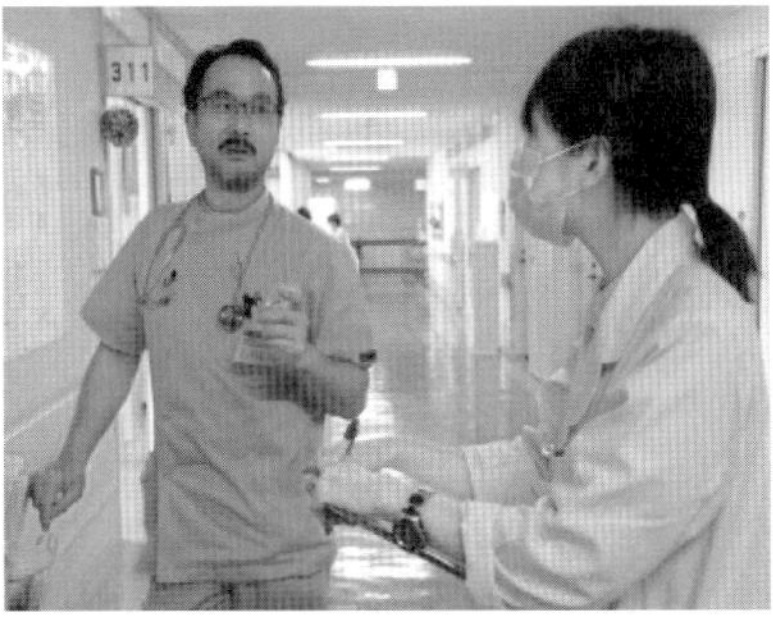

医学生に教える隠岐島前病院の白石吉彦院長（左）＝島根県西ノ島町美田、同病院

年前の赴任時は常勤医４人の小さな診療所でしたが、総合診療医を実践的に育て、離島医療のモデルになる現行の体制をつくりました。こうした実績が評価され、２０１４年、日本医師会の「赤ひげ大賞」を受賞。昨年には、腰や肩の痛みを手術することなく治療する「整形内科」を提唱し、書籍も執筆して注目されています。

　プライベートではヨットを持ち、釣りや狩猟も楽しんで島暮らしを満喫している白石院長。「毎日一生懸命やっていたら、後ろに道ができたという感じ。離島医療はおもしろくて、やめられない」と笑います。

　実は私は山陰中央新報記者時代の07年、日本でまだ浸透していなかった総合診療医を名乗る白石先生を取材し、日本の医療に一石を投じるかもしれないという記事を書きました。あれから10年、島前病院は進化を続け、さらに育った医師たちが県内各地で活躍し「陸の島前病院」ができつつあるそうです。次の10年、どんな進化をして、どんなインパクトを日本の医療に与えるのか。楽しみにしながら追いかけていきたいと思います。

［２０１７年２月24日掲載］

09 同業者はライバルではなく仲間 石見麦酒

江津市

最近は小規模で地域に根付いて造られる「クラフトビール」がブームで、全国で300カ所以上、山陰両県にも7カ所の醸造所（ブルワリー）があります。中でも注目されているのが、Iターンした山口厳雄さん、梓さん夫妻が2015年に島根県江津市に立ち上げた9坪の小さな「石見《いわみ》麦酒《ばくしゅ》」です。

山口さん夫妻は2014年、同市の「ビジネスプランコンテスト」に応募。フェスタの開催とブルワリーを支援して4軒に増やすことをプランに掲げました。同市にはかつて3軒の造り酒屋がありましたが、当時はゼロ。地酒復活への期待やプランの完成度の高さが評価を受けて大賞を受賞、移住してきました。

地域の素材を使った商品を次々と発売し、販売量は初年度の6キロリットルから昨年は15キロリットル、今年は30キロリットルを予定。売上も650万円から2200万円になり、今年の目標は4000万円。黒字経営ができています。

独特の製造方法は「石見方式」と呼ばれ、学びたいと全国から人が訪れます。これまで大型機械を海外から輸入しなければ醸造できませんでしたが、ホームセンターで買える身近なものを組み合わせ

石見地ビールフェスタin江津で石見麦酒を提供する山口厳雄さん（右）、梓さん夫妻＝江津市後地町

る仕組みを開発。スマートフォンのアプリで温度管理もでき、ハードルをぐっと下げました。支援したブルワリーは、北は北海道から南は種子島まで20社、さらに今年も2社予定されています。隣の浜田市でも「穂波《ほなみ》」がオープンしました。

　ライバルを増やすのではないかと聞いてみると「協力し合える仲間がいるのは大切ですし、自分もそうやって育ててもらったこともあり、すべてオープンにしています」と厳雄さん。逆に少量のブルワリー同士が力を合わせて共同で発注できるといったメリットもあるそうです。

　この夏、石見地方で初の「石見地ビールフェスタｉｎ江津」を企画。石見麦酒に加えて立ち上げを支援した穂波と北海道の澄川麦酒醸造所などが出店、地域食材を使った飲食店ブースも並び、千人もの来場者でにぎわいました。これもライバルではなく、仲間として力を合わせたからできたことです。

　梓さんは「いろんな人に助けてもらって今がある。感無量です」と笑顔。どんな仲間が加わり、一緒に盛り上げていくのか、来年も開催予定というフェスタにもぜひ足を運びたいと思います。

［2018年7月28日掲載］

（追記　現在は移転しています）

10

楽しいまちは自らつくる C!C!C!

松江市

見渡す限り、人、人、人。10月末の日曜日、決して広くはない松江市殿町のカラコロ工房に、5千人もの人が集まりました。単発のイベントでは同施設の過去最高だったそうです。

行われていたのは「C!C!C!」。島根県内外から出店した34のコーヒー、カレー、チョコレートの名店の味を楽しむことができる仕掛けで、同市伊勢宮町のコーヒー専門店「IMAGINE COFFEE」を営む岸本展明さん（32）を中心とした、有志による手作りのイベントでした。

きっかけは3年前、岸本さんがコーヒーをテーマにした映画の自主上映会を企画したこと。好評を集め、「次はないの?」と聞かれる中で、生業にしているコーヒーと、それ以外で好物でもあるカレー、チョコレートの3つの「C」の頭文字を付けたイベントをやってみたら面白いと思いついたのです。

岸本さん自身、勉強がてら全国各地に出掛けて名店を訪ね歩いていたことから、これまでのつながりを生かして約20店舗に出店を依頼。2017年秋、初めての「C!C!C!」が実現しました。

出店者の比率は県内と県外で

笑顔と会話があふれた「C!C!C!」＝松江市殿町、カラコロ工房

半々にしました。それが予想を上回る効果を生み、出店者同士がつながって新しいイベントを立ち上げたり、就職先になったりという動きに発展していきました。2回目の今年はさらにコラボレーションの枠と「C」にこだわらない枠を拡大。例えば県内の石見地方のクラフトビール・石見麦酒と、県外の出店者が手掛けるジビエがコラボレーションする、ここでしか味わえないスペシャルコーナーなどが登場しました。

県外に出掛けて別の地域で「C!C!C!」を開くことも検討したそうです。それでも、2回の開催を経て「やっぱり地元の人が楽しんでくれた方が楽しいし、自分は地元を楽しくしたいんだとすごく感じました」と岸本さん。来年は規模より質を上げることにこだわり、引き続き松江で開催したいと考えています。

冒頭にたくさんの人、と紹介しましたが、正確に言うと、そこにあったのは来場者と出店者、たくさんの「笑顔」と「会話」でした。人が楽しければ、まちも楽しくなる。身をもって味わいました。早くも来年が楽しみです。

［2018年11月30日掲載］

11

ビニールハウスを居酒屋に JACAGO

出雲市

　山の中に農業用のビニールハウスを使った居酒屋があるらしい―。こんなうわさを聞きつけ、出雲市街地から車を走らせること約40分。暗闇に明るく光るアーチ状の物体が見えてきました。同市佐田町橋波地区にある「JACAGO《ジャカゴ》」です。

　運営しているのは農事組合法人「橋波アグリサンシャイン」の大谷順さん（34）と三島拓也さん（32）。同地区で生まれ育った二人はいったん県外に出ていましたが、7年前、たまたま同じタイミングでUターン。閑散期の冬場にできることを考える中で、大谷さんは接客業の経験があり、三島さんは調理師免許を持っていたことから気軽な気持ちで冬季限定の居酒屋を始めることにしました。

　初期投資を抑えようとビニールハウスの活用を思いつき、家族の力を借りてカウンターなどを手作り。10万円程度で完成させて地区唯一の居酒屋としてオープンすると、連日、大にぎわいとなりました。来店するのは、ほとんどが地区の人たち。あらためてゆっくりと会話する機会になること、お酒を飲んでも歩いて帰れることが人気の理由なのだそうです。

　その後もほぼ毎年冬季限定で

三島拓也さん（左）と大谷順さん（左から2人目）＝出雲市佐田町下橋波、JACAGO

オープンし、今年で7シーズン目。私が訪れた日も地区の人を中心に満席で、地元野菜を使ったおつまみやおでんを食べながら楽しそうに盛り上がっていました。来店者が「これまでは飲むところもなかったし、ここができて本当に良かった」「若いもんががんばっとるから応援に来んといけん」と声をそろえていたのが印象的でした。ビニールハウスで居酒屋という意外性が面白がられ、地区外からわざわざ足を運ぶ人も増えています。

　大谷さんは「こんな風になるとは思っていなかったです」と笑いながら「農業と一緒で継続が大事。しばらくは続けるつもりです」と話します。

　中山間地域は一般的に条件不利地域と言われますが、工夫次第で楽しめること、そして何より、逆境だからこそ生まれるイノベーションの可能性と面白さを感じました。JACAGOは3月末まで週末を中心に営業します。予約でかなり埋まっていますので、行く場合は事前に必ず連絡してくださいね。連絡先などはこちらです。
https://www.facebook.com/Jacago/

［2019年2月22日掲載］
（追記　現在は休業中です）

12 持続可能な林業を仕組み化 合同会社やもり

津和野町

県の面積に占める森林割合が79%に上り、全国3位の森林県である島根。いま、「自《じ》伐《ばつ》型林業」という持続可能な林業に向けた取り組みが静かに広がっています。

　その担い手の一つが、島根県津和野町の合同会社やもりです。設立者である代表社員・田口寿洋さん(41)はもともと、東京の大手企業で食のブランディングなどを手掛けていました。はまっていたのが素潜り。北海道から沖縄まで各地の海に潜るうちに、この美しい海をどう守っていけばいいのか、環境への関心が高まり、調べていく中で「森は海の恋人」という言葉を知りました。「海の環境は山がつくっている。それなら、山からやるしかない」

　そんなときに出合ったのが、自伐型林業に取り組む地域おこし協力隊を募集する津和野町でした。これまでの林業は、大規模な森林を前提に所有者が森林組合や業者に管理を委託するのが一般的でしたが、自伐型は小規模の限られた森林を所有者が管理しながら持続的に収入を得ていく形。小型で小回りのきく作業機械を使う低コストで環境保全も意識することができます。

　共感した田口さんは2015年、

自伐型林業が展開されている森で木を見る田口寿洋さん＝島根県津和野町

津和野町の地域おこし協力隊に着任し、自伐林業チーム「津和野ヤモリーズ」の一員として活動しながら、やもりを設立。同町の協力隊員が森林管理の技術を身につけ、協力隊の任期を終えた3年後には自伐型林業を担い手として自立していける仕組みを役場担当者と整えました。

これまで16人が協力隊として着任し、すでに卒業した6人が町内で自伐型林業を実践中です。「研修や人材育成の仕組みとして確立できたという手応えを感じています」と田口さん。津和野町は全国でも自伐型林業の先進地として知られるようにもなったそうです。

とはいえ、木材価格の低迷をはじめとして林業の課題は少なくありません。今後はバイオマス燃料や、地域通貨を活用した森林整備を目指す木の駅プロジェクトなど、「木の出口」を広げていく予定です。島根でこうした取り組みが増えることは、世界的に意識が高まっている環境問題への貢献にもつながります。ますます目が離せません。

［2020年1月31日掲載］

13

まるごと地元とコラボ
MASCOS HOTEL 益田温泉

益田市

　家具や器、衣服、インテリア、空間デザイン… 建物内にある、あらゆるものを石見地方の職人と共同開発した「クラフトホテル」が2019年、益田市駅前町にオープンしました。MASCOS《マスコス》 HOTEL《ホテル》益田温泉です。

　オーナーは、同市で生まれ育った洪昌督さん（40）。都会への憧れが強く、高校卒業後に上京してミュージシャンとして活動していました。実家の事情で嫌々Uターンしたのが10年前。デザイン会社「益田工房」を同級生と立ち上げ、同市真砂地区の仕事を担当したのが、地元への目線が変わるきっかけでした。「面白い大人って、地域にいないと勝手に思い込んでたけど、いるんだ」。必死で地域を想い、動いている人たちに、心が揺さぶられたのです。

　そう気付いてからは、前向きに地域づくりに関わるようになりました。そのころからちょうど石見地方に同世代の職人や地域づくりに取り組む人が次々とUターン。仲間が増えていく中で、益田駅前に温泉があればもっとまちは面白くなるという考えが膨らみ、温泉ホテル事業を始めることにしました。

　こだわりは、クラフト職人の技がつまっていることです。食器は

地元とのコラボレーションに力を入れるMASCOS HOTELのスタッフ＝益田市駅前町、マスコスホテル

宮内窯（江津市）、イスや机はSUKI-MONO（同）、部屋着のガウンやスタッフの服は益田ファンデーション（益田市）というように、ホテルで使うものはほとんど地元とのコラボレーションによるオリジナル製品になっています。

　そして極めつけは、食。地元産の食材を使うことはもちろんですが、提供するシェフも、洪さん行きつけの地元の名店のシェフを口説いて連れてきたそうです。ホテルでは珍しいオープンキッチンスタイルで、厨房が見え、訪れた人との距離が近い設計となっています。「文化の発信拠点として、地域で働く人が見える関係性がつくりたかった」と洪さん。新型コロナウイルスの影響で見合わせていますが、今後はこのスペースで積極的にイベントを開く予定です。

　洪さんの話を聞きながら、「風土」という言葉を思い出しました。地域に根ざす「土の人」と新しい風を運んでくる「風の人」、両者が混じり合って地域ができるのだと地元学などで言われてきました。MASCOS HOTELは益田の新しい風土をつくり出していく、その拠点になっていくのかもしれません。

［2020年5月29日掲載］

14

軽キャンピングカー全国発信 スマイルファクトリー

益田市

自家用車で快適にテレワークができる。新型コロナウイルスの影響でテレワークが広がる中、全国に先駆けた開発が島根発で進められています。

手掛けているのはスマイルファクトリー（益田市）。三重県出身の長藤隆司社長は、同市出身の妻と結婚した縁で移住し、2000年、自動車の車検整備会社を創業しました。人の温かさやあふれる自然など子育て環境の良さが同市の魅力ではありましたが、経営上の不安がなかったわけではありません。もともと人口が少ないことに加えて、実は同業者も多かったのです。

特殊性を出そうと目を付けたのが、キャンピングカーでした。釣り好きが軽自動車で釣り場まで行って仮眠するという話を聞き「需要があるんじゃないか」とひらめいたのです。しかし、当時のキャンピングカーは1千万円を超えるような高価な車ばかり。そこで価格を抑えた軽自動車のキャンピングカーの改造を始めると、全国の愛好家から注文が相次ぎ、広がっていきました。

取り扱っているのは3シリーズ。大人2人でもゆったり休めるスペースを確保するほか、断熱や収納にこだわり、デスクワークもで

スタッフと打ち合わせをする長藤隆司社長(右端)＝益田市高津町、スマイルファクトリー

きるのが特徴です。「限りある空間をどう最大限使うのか、難しさはありますが、年数を重ねてノウハウがありますし、それこそが売りでもあります」と長藤社長。

今年に入り、新型コロナが感染拡大したことで、テレワーク仕様の改造を思いつきました。従来のシリーズを換気ができるよう工夫し、さらにネットワーク環境を追加したのです。在宅勤務になったものの、自宅に環境がなく困っているという人たちを中心に喜ばれました。現在は注文をもらっても1年待ちという状況。見込んでいた年間20台の受注は達成できる見通しです。

当初は「都会ならまだしも益田でやる仕事じゃない」と言われたそうですが、今や軽自動車を使ったキャンピングカーのトップランナーとして知られています。長藤社長は「自分で改良し続けられるし、20年かけてこの形になっています。楽しいですね。益田にいても全国へ発信できます」と笑顔を見せます。

オンリーワンのものづくりに加えて、時代をとらえて進化する柔軟さ。スマイルファクトリーには、愛され、成長する企業のヒントが詰まっています。

［2020年10月30日掲載］

第1章のまとめコラム

島根発で全国に広がった仕組みは少なくありません。その代表格のひとつが、マルチワーカー制度。地域の担い手を確保する特定地域づくり事業協同組合の法制化につながっていきました。そして大きいのが教育魅力化。発祥の県立隠岐島前高校（海士町）から始まった小さな動きがうねりとなり、島根へ、全国に広がりました。学校の統廃合をめぐり各地で議論が起こる中、目指すべきは学校の存続ではなく魅力化であり、魅力的になれば存続という結果はついてくるという考え方は本質的です。加えて、地域の担い手を育てることが教育の役割だと再定義したことにも意義がありました。

医療分野でも、全人的に患者を診る総合診療医。隠岐島前病院（西ノ島町）が先進的に取り組んだことで知られ、石見麦酒が編み出した「石見方式」も、今では全国に広がっています。劇団ハタチ族はその後解散しましたが、代表の西藤さんは今でも雲南市を拠点に、俳優として演劇の可能性を追求する取り組みを続けています。

そのほか、1章で紹介したユニークな取り組みは、離島の隠岐や県西部の石見地域のものが多くなっていますが、それは隠岐と石見が島根の中でも人口減少が進んでいるからこそ、新しいものを生み出す余白があるからだと考えられるかもしれません。

第2章

らしさを生かす

人口減少とグローバル化が進む時代、どこかの真似ではなく、あるものを生かして「ここだからこそ」の「らしさ」を磨くことが価値を生む。

15 NPO法人くらしアトリエ（雲南市）

16 縁　雫（松江市）

17 里山イタリアンAJIKURA（邑南町）

18 三江線沿線魅力化プロジェクト

19 つむぎ（雲南市）

20 石見神楽面・小林工房（大田市）

21 里山パレット（大田市）

22 江の川よ〜いドン！

23 坊主バー（江津市）

24 江の川鐵道（邑南町）

25 真っ白な観光マップ（隠岐の島町）

26 ラムネMILK堂（飯南町）

27 ソットチャッカ（吉賀町）

28 INAKAイルミ（邑南町）

15

暮らしを楽しむのは自分次第
NPO法人くらしアトリエ

雲南市

「不便で雨の日が多い山陰も、暮らし方一つで、贅沢で魅力的な土地になる」。2007年、あるウェブサイトでこの文言に出会ったとき、パソコンの前で一人、首がちぎれそうになるほど、激しくうなずきました。今でこそ「地方創生」ブームですが、格差論など「いかに地方が都会に追いつくか」という議論が盛んだった当時、まっすぐ地元の魅力を見つめて発信する姿に、新鮮な驚きと共感を覚えたのです。雲南市大東町のNPO法人「くらしアトリエ」が運営するサイト「SLOW+SLOW」。すぐに取材を申し込み、栂慈子さん、今若麻希子さんにお会いしました。

2人も最初から山陰の良さを感じていたわけではありません。子育てや海外も含めた他の土地での暮らしを経て、変わっていきました。森に手を振り、拾ったドングリのにおいをかぐなど、五感を使って遊ぶ幼い子ども。水を張った田んぼの美しさ。当たり前と思っていた暮らしや風景も、目線一つで違ったものに見える。「楽しむかどうかは自分次第なんだ」と気付いたと言います。

一方で、地元の「ないもの探し」をして楽しんでいない人たちの存在も感じていました。2005年

打ち合わせをする栂慈子さん（右）、今若麻希子さん（中央）。この土地の美しさに心を動かされ、不便でも拠点としたそうです＝雲南市大東町畑鴨

からサイトで発信を始め、その後、ヨーロッパのマルシェをイメージした「朝市」をいち早く開きます。

　海沿いや山の中など山陰らしい会場で、自分たちが自信を持ってオススメする山陰のおいしい商品などを紹介する。毎日の暮らしを楽しむヒントを持ち帰ってほしいという願いを込めたイベントは大人気となり、山陽側からも人が詰めかけました。

　ただ、最近は朝市は最優先ではありません。くらしアトリエが開かなくても、各地で開かれるようになったからです。ウェブサイトと拠点にする雲南市大東町の古い一軒家で、山陰の確かな手仕事による雑貨などを販売するほか「くらしの学校」を運営しています。作り手と消費者をつなげたり、知的好奇心を満たしたりする、大人が学ぶ場づくりです。

　こうして活動する中で、学生や若い人の地元へのまなざしの変化を感じるようになったそうです。何より、栂さん、今若さんの子どもが、島根を、山陰を、誇りに感じています。「実は目的を達成したよね。解散してもいいのかな」と笑顔の2人を見ながら、時代がくらしアトリエに追いついたのだと感じました。

［2015年6月26日掲載］

16

雨を観光資源に取り込む
縁雫

松江市

霧雨、時雨、驟雨…。雨の呼び名はたくさんありますが、松江に降る雨にも名前が付いているのをご存じですか？「縁雫《えにしずく》」。素敵な響きですよね！高校生のアイデアから生まれた造語がどんどん広がり、今では松江の6、7月は縁雫・観光月間として、さまざまなプロジェクトが展開されています。

始まりは2010年。高校生が観光プランを競う「観光甲子園」に、当時、松江市立女子高校の国際文化観光学科にいた横山紫織さん（23）ら8人が手を挙げました。目を付けたのが、観光客が落ち込む梅雨の6月。雨はマイナスなイメージもあるけれど、植物など命を育む自然の恵みという側面もある。松江に降る雨がブランド化できないか―。彼女たちはそう考えました。そして、松江は縁結びの地でもあります。

横山さんたちは放課後、教室に残り、辞書を片手に水に関係する漢字や「縁」の別の読み方を調べました。ビビッときました。縁と雫の組み合わせ。「これ絶対くる！ヤバイよ！」。確信したそうです。

完成したプランは、松江と雨を満喫しながら縁を紡いでもらおうと、あじさい寺と呼ばれる月照時で和傘を差して歩いたり、自分でつくった手すき和紙で感謝の手紙を送ったりする内容。観光甲子園

「これからも観光に関わる仕事をしていきたい」を話す横山紫織さん＝松江市玉湯町玉造

で優秀作品賞を獲得しました。

雨の日の松江の良さを伝えたいという思いの輪は広がっていきます。急な雨降りに遭った観光客に無料で傘を貸し出す「だんだん傘」事業など、「雨の日の松江プロジェクト」に取り組んできたNPO法人松江サードプレイス研究会や松江市観光協会によるプロジェクトも次々立ち上がりました。雨が降ったときに来店すると割引や特典が付くキャンペーンが企画され、松江城周辺には雨粒形のモニュメント「雨粒御伝」がお目見え。絵本「雨の降る都《まち》」も出版されました。

「高校生のアイデアでも貢献できるんだとわかり、うれしかった」と笑顔の横山さん。この経験がきっかけとなり、島根大学を卒業して今春から玉造温泉の旅館で働いています。しまね観光大使としても活躍中です。

実は雨好きの私は、雨が厄介者扱いされていることを残念に思っていました。雨が多い山陰の気候は変えられませんが、発想一つで観光資源にすることもできるのです。ないものねだりをするより、あるものを生かす。そんな好例がもっともっと増えていけばいいなと思います。

［2015年9月25日掲載］

17 ここでしか味わえない食を 里山イタリアンAJIKURA

邑南町

「味付けをするな」。そんな一風変わったレストランが、中国山地の山あい、島根県邑南町にあります。「里山イタリアンＡＪＩＫＵＲＡ《あじくら》」。主役は地元野菜。県内外からわざわざ人が訪れる人気のレストランです。

始まりは、同町職員の寺本英仁さんが人口減少時代の外貨獲得策で「食」に着目したことです。営業に歩いた東京の飲食店から言われたのは「２００頭分の高級部位（ヒレ肉・サーロイン）をすぐに」。２００頭は石見和牛の年間生産量。出せるわけがありません。東京に飲食店が集積する一方、地方に目を向けると、食材にこだわった店づくりや地産地消が進んでいませんでした。

寺本さんは思い至ります。東京に吸い上げられるのではなく、ここでしか食べられないものをつくれば、人が訪れる。そのためにシェフを呼び、ここで育てていけばいいのだと。「Ａ級グルメ」のまちづくりと全国唯一の「地産地消の一流レストラン」構想が生まれ、町観光協会が運営する形で２０１１年オープンしました。地元産野菜を１００％使い、洗練されたサービスを提供するレストランです。冒頭の「味付けをするな」は、素材重視の姿勢の表れです。「いいものをいいときに出す」

耕すシェフたちと談笑する寺本英仁さん（右から2人目）＝島根県邑南町矢上、里山イタリアンAJIKURA

ことがご馳走《ちそう》であり、余計な手を加える必要はないのです。

当初は「行政ではうまくいかない」と言われました。シェフを呼ぶ財源に、都市の人材を受け入れると国から人件費が出る「地域おこし協力隊」制度を使い、自ら食材を育てる新たなシェフ像を「耕すシェフ」と名付けて、打ち出しました。初年度の2人を皮切りに、これまで県外の料理学校卒業生を中心に計19人が着任。耕すシェフの卒業生が現在AJIKURAの料理長を務めるほか、同町で起業した人もいます。さらに、同町内に「食の学校」と「農の学校」をつくり、地元生産者が指導役を務めることで、生産者の誇りにもつながっています。

「若い人たちが食と農を学べる場でありたい」と寺本さん。AJIKURAはこの春、観光協会から独立し、起業しました。対前年比160％と売上りげは好調で、黒字経営ができています。

グローバル化が進む中だからこそ、ここでなければ体験できないことを提供するのが1つのローカルの価値であり、AJIKURAの目指している姿だと感じます。ぜひ一度、足を運んでみてくださいね！

［2015年11月27日掲載］

18

魅力掘り起こし発信を
三江線沿線魅力化プロジェクト

存廃問題で揺れているJR三江線で「三江線沿線魅力化プロジェクト」が始まっています。来春まで1年間にわたって毎週、沿線でイベントを開いたり、既存のイベントを応援したりする「イベントマラソン」を展開中。目指しているのは、魅力的な鉄道と地域づくりです。

JR三江線は、江津市と広島県三次市を結ぶ全長108・1㎞のローカル線。過疎化が進む中で乗客が減り、便数が減り不便になって、また乗客が減るという悪循環で、JR西日本が廃止を検討しています。

「人口が減るから鉄道もなくなるのは仕方ない」と何もせずにあきらめていいのか―。こんな問題意識を胸に立ち上がったのが、沿線の江津本町で生まれ育った吉田悠生さん(24)たち有志です。このままでは三江線だけでなく、全国の過疎地の鉄道はなくなってしまう。「存続を」と叫ぶだけでなく、鉄道を地域資源として生かす努力と挑戦を自分たちからする必要があるとの決意でした。

「三江線の価値や沿線の魅力を掘り起こし、発信すれば、訪れる人が増える。それは存続するしないにかかわらず、将来につながる」。

プロジェクトに賛同して集まった人たち＝江津市江津町、江津本町駅

インターネット上で支援金を募るクラウドファンディング「Ｒｅａｄｙ ｆｏｒ」でプロジェクト「廃線の危機にあるＪＲ三江線を魅力化し、利用者を増やしたい！」を立ち上げると、共感が広がり、全国の１３０人から２００万円が寄せられました。

　イベントマラソンでは、花見列車や三江線の列車と人が競争するバトンリレーのほか、鉄道好きの私も応援を兼ねて「大人の春の遠足」として三江線に乗って江津―石見川本間を往復し、街を散策するイベントを企画しました。今後も雲南市の劇団ハタチ族による演劇などが予定されていますし、島根大学生が中心となって三江線フォトブック（記録集）も作成中です。

「チャレンジは始まったところですが、地域と鉄道のいい在り方を探るヒントになるとうれしいです」と吉田さん。人口減少時代、鉄道に限らず、さまざまな物を維持すること自体が難しくなっていきます。まず住民自らが手を動かし、汗をかく。そういう文化をつくれるかどうかが分かれ目になると思います。

［２０１６年６月24日掲載］

19

駅がまちづくりの拠点に　つむぎ

雲南市

人口減少時代、鉄道や駅の利用者は減る一方…。いえ、そんなイメージを覆す駅があります。JR木次線の出雲大東駅（雲南市大東町飯田）。定期的なイベント開催や待合室を過ごしやすくするなどの取り組みの積み重ねでにぎわいが生まれ、駅がまちづくりの拠点になりつつあります。

立役者は、市から指定管理を受けて同駅を管理する「つむぎ」（南波由美子代表）。南波代表は、自身が勤務していた同駅の指定管理会社が２０１６年度から指定管理を受けないことになったことから起業を決意。新たにつむぎを設立し、16年４月から指定管理を受けて業務を始めました。販売する切符の売り上げも14年度に比べて２０１６年度は１・２倍に増加しています。

地元バンドが演奏するライブイベントや、母親同士が集まるお茶会、読書会、手話に親しむ会などを次々と開催。待合室に机を置いたことで、通学でJRを利用する高校生が自主学習する姿も見られるようになりました。

６月上旬には、同駅で「第１回大東ほたる祭り」を初開催。地元の飲食店や大東高校生が出店し、多くの人出でにぎわいました。そのメインイベントが、東京都青梅市発祥の「ババコン」。地元の高

ステージで笑顔を見せるファッションショーの参加者＝雲南市大東町飯田、JR出雲大東駅

齢者を地元の若者がコーディネートするファッションショーです。モデルになった70～80代の3人に対し、それぞれ5人の若者がチームを組んでプロデュース。どんなファッションにするか、数回集まって一緒に議論しながら決めました。

　駅前の特設ステージに設けられた舞台をモデルたちが曲に合わせて歩き、若者たちも笑顔で囲みます。全員が楽しそうに生き生きしていて、終了後は感極まって泣き出したり、抱き合ったりする場面も見られました。

　モデルの一人、白根三代子さん（81）は「こんなすてきな場に立てて、地域活性化を考える若者たちとつながれてよかった」。南波代表も「駅は人が集まり、つながり、情報発信する拠点。片田舎の小さな駅がどこにもないすてきな空間になれた。ローカル線ならではの温かいつながりを、今後もつむいでいきたい」と決意を新たにしました。

　人が楽しそうにしている場所には、やはり人が集まってくる。人口減少時代、簡単ではありませんが、やり方次第でいろんな可能性があるのだなと、南波さんのキラキラした目の輝きを見ながら、私も励まされました。

［2017年6月23日掲載］

20

守るためにも攻めの変化
石見神楽面・小林工房

大田市

石見神楽面の職人が和紙で手掛けた大型レリーフが、今月オープンした出雲市内の宿に完成した──。そんなことができるなんて！という純粋な驚きに加えて、まさに伝統と革新が融合したものづくりにワクワクし、すぐに取材を申し込みました。大田市温泉津町小浜の小林工房の小林泰三さん（36）です。

温泉津で生まれ育った小林さんは、石見神楽に親しむ中で「ケンといわみかぐら」という絵本を読み、舞うよりも面をつくる職人に興味を持つようになりました。10歳の冬、ほしい物を我慢してコツコツためた3万円を握りしめて訪れたのが、石見神楽面の第一人者である柿田勝郎面工房（浜田市）。

柿田さんは、どんな面がほしいのか、熱心に聞いてくれました。「子どもだからと手抜きせず、本気でぶつかってくれた」と思い出して目頭が熱くなる小林さん。そのときの般若面は宝物です。12歳で柿田さんの元に弟子入り。さらに中学、高校を通じて通い続け、神楽面づくりの技術をじかに学びました。

いったん京都の大学に進学、就職後にUターンして小林工房を立ち上げたのが2008年、28歳のとき。粘土で土台をつくり、和紙を何重にも張り、さらに数十回、胡粉《ごふん》と呼ばれる顔料を塗り、彩色

粘土で神楽面の最初の基盤をつくる小林泰三さん＝大田市温泉津町小浜、小林工房

して仕上げます。石見神楽面づくりをなりわいとする職人は全国を見渡しても数少なく、県内外からの注文が途切れることはありません。

　それにとどまらず、人気ダンスユニット・EXILE《エグザイル》が舞台で使うヤマタノオロチの制作や、冒頭で触れた大型レリーフを手掛けたりしています。レリーフは彩色前の和紙の素材感を生かした作品に挑戦してみたいと考えていただけに、やりがいにあふれる仕事で、3カ月をかけて横4400ミリ、高さ840ミリの大画面にヤマタノオロチやスサノヲノミコトを浮き上がらせました。

　ときには神楽面職人の域を超えていることに否定的な声も聞こえますが、「石見が培った技と文化を受け継ぎながら、より多くの人に知ってもらうためにも風を入れて、新しい出会いをつくりたい」とぶれません。

　確かに伝統を受け継ぎ、守ることは大切ですが、時代に合ったものづくりをしなければ支持は得られず、守ることもできません。残念ながらそうやってすたれていく技もあります。守りたいからこそ変化を恐れず挑戦する攻めの姿勢。どんな新しい世界を見せてくれるのか、小林さんの次の仕事が楽しみです。

［2017年7月21日掲載］

21

持続可能なものづくり 里山パレット

大田市

裏山に自生している野草や、剪《せん》定《てい》された枝、落ちてしまったブルーベリーの実…。身近にある何気ないものが実は宝の原石だと気付き、生かしている企業があります。石見銀山生活文化研究所（大田市大森町）。世界遺産に登録された石見銀山遺跡のお膝元、大森町に本社を構える、アパレルの会社です。

きっかけは2012年、福島県会津若松地方出身の社員、鈴木良拓さん(29)の入社。鈴木さんが草木染めや植物を生かしたものづくりに関心があったことから、同社でも挑戦してみようという気運が生まれ、任せることにしたのです。

鈴木さんは入社後、大森周辺の山を歩いて染料を集め、草木染めで染める試験を繰り返していました。100％の草木染めにこだわりたいという思いの一方で、草木染めは化学染料に比べて日光や汗に弱く、色落ちしやすいなど、使う側にとっては使いにくいという事態に直面もし、葛藤もしていました。

鈴木さんは悩んだ末、発想を転換。植物の色素に少量の化学染料を加えることで色の強度を補う「ボタニカルダイ」という技術を持つ企業と協力することを決め

クロモジ染めのブラウスを手にする鈴木良拓さん＝大田市大森町、石見銀山生活文化研究所

ました。植物と化学染料のいいとこ取りをする、いわばハイブリッドな技術。おかげで植物本来が持つ色を生かしながら、使う側にも快適であるという新しいブランド「里山パレット」が２０１４年に誕生しました。

スタートから4年、ドングリやヤマモモ、ヨモギなど、これまでに集めて色を抽出した植物は１００種類以上。年に2回、季節に合わせて新商品を出しています。この春のイチオシは、クロモジの花と葉と枝から染めたブラウス。鮮やかな黄色の中にやさしさも感じる風合いが印象的です。

国内30店舗を直営する同社。この規模で地元の植物を染料に加工して服づくりをする会社はありません。オンリーワンの存在なのです。さらに「化学染料の元は石油や重金属で１００％輸入していますが、里山パレットはその元自体が、ここにあることに意味があり、持続可能性があります」と鈴木さん。

この地域資源を活かした持続可能なものづくりというあり方に私自身も共感し、応援の意味も込めて、里山パレットの服やカバンをよく使っています。ぜひ皆さんも島根発の新しい取り組みに注目してみてください。

［２０１８年2月23日掲載］

22

廃線後も元気な地域づくり 江の川よ〜いドン!

江津市と広島県三次市を結ぶJR三江線が3月31日、廃線となりました。石見地方で生まれ育ち、鉄道が大好きな私自身にとっても、胸が痛い、本当に寂しいニュースですが、それでも、鉄道がなくなっても地域そのものがなくなるわけではありません。気持ちを切り替えて前を向いていきたいと思っていたとき、翌日の4月1日に沿線の島根県川本町で行われるイベント「江の川よ〜いドン!」へのお誘いを受けました。

企画したのは有志の実行委員会。「よ〜いドン!」には、三江線を含めた江の川流域の新たなスタートにしたい、という狙いが込められています。

イベントには約70人が集まりました。江津市や川本町、三次市など主に江の川流域で活動する15団体がプロジェクト内容や実現したい夢などを発表。発表団体と参加者が直接意見を交わし、会場には熱気があふれました。

例えば、「天空の駅」として知られる宇都井駅（島根県邑南町）周辺で毎年行われてきた人気のイルミネーションイベント「INAKAイルミ」実行委員会のメンバーは、今年も継続したい意向を表明。鹿賀駅（江津市）周辺での

意見交換する江の川よ〜いドン!の参加者＝島根県川本町川本、悠邑ふるさと会館

新たなイベントの開催や、代替バスを使って訪れてもらえるようなガイドマガジン作成など次々アイデアが出てきました。また、8月31日の三江線全通記念日に全国から鉄道ファンが集まるような企画を検討することも決まりました。

実行委員会の一人、松江市のシンクタンク・エブリプランの肥後淳平さんは「沿線のつながりが薄くなったことが廃線につながった面もあり、廃線でさらに分断が進みかねない。つながり直すきっかけになればと企画した。新しいつながりと動きが生まれそうで、第一歩としてはよかった」と話します。

人口減少時代、ローカル線を取り巻く環境は厳しさを増し、残念ながら各地で廃線という事態が生まれかねません。これまで「鉄道がなくなって栄えた地域は存在しない」というのが定説でしたが、この三江線沿線地域がそんな定説を覆してほしい。もっと言えば、全国でもほぼ初めての「鉄道がなくなっても元気な地域」として、廃線後の地域再生のモデルになってほしい。私もできる限り応援していきたいと思います。

［2018年4月28日掲載］

23 寺の公共性を取り戻そう 坊主バー・蓮敬寺

江津市

お坊さんが袈裟姿でバーテンダーをしているらしい。反射的に「面白い!」と同時に「なぜ?」と疑問が湧いて、出掛けることにしました。月1回開かれる江津市敬川町の浄土真宗本願寺派・蓮敬寺の「坊主バー」です。

本堂横の入り口から階段を上っていくと、室内はブルーのライトで照らされ、本格カフェバーのよう。住職の冨金原真慈さん(35)がうわさ通り、袈裟姿で出迎えてくれました。

江津で生まれ育った冨金原さんは、京都の大学で学んだ後、23歳でUターンして寺を継ぎました。大学時代からある問題意識を持っていたそうです。「寺で単発の大型イベントをやっているが、その後、若い人や普段参らない人が本当に寺に来ているのだろうか」―。よく言われる現代人の〝お寺離れ〟です。

そこで、小さくても継続すること、また、法事のような「一対多数」ではなく相手と「一対一」のコミュニケーションをとる方法がないか模索する中で、県内外での寺カフェの事例に出合い「これだ、やろう」と心が決まりました。

とはいえ、突然すぎることもあって、最初こそ周囲から戸惑い

坊主バーのカウンターに立つ冨金原真慈さん（左）と安藤敬信さん＝江津市敬川町、蓮敬寺

の声もありましたが、丁寧に説明し、理解されました。自分で材料を買い、4年がかりで改装して2017年5月、「寺Cafe SARA」をオープンしました。月～木曜日の午後1時から5時まで、子ども連れでも楽しんでもらえるようおもちゃや絵本を置いています。

さらに、真夜中の駆け込み寺として知られる東京の「坊主バー」を知り、今年6月から始めることにしました。調理士で製菓衛生師の妻と、安藤敬信さん（大田・安養寺）、三浦誠さん（江津・正福寺）とともに運営しています。

まだ来店者のほとんどが知人ですが、「いろんな人に来てもらって、お坊さんと触れ合う場になれば」と冨金原さん。「将来はお客さん同士も含めて人がつながる場、安心して悩みをはき出せる場にしたいし、いい人生の手助けをしてお寺を公共の場として取り戻したいです」と話します。

新しいことはどうしても理解されにくく、簡単にいかないことも多いですが、だからこそチャレンジする意義もあります。問題意識を大切に一つ一つ形にして進んでいる冨金原さんたちの坊主バー、ぜひ一度足を運んでみてください。

［2018年8月31日掲載］

24

つくるより生かす時代
江の川鐵道

邑南町

3月末で廃止となったJR三江線。沿線には線路や駅が残されました。何もしなければ撤去され、新しい価値を生み出すことはありませんが、生かそうと立ち上がったのが、沿線住民らでつくるNPO法人「江の川鐵道」です。

特に高さ20メートルの「天空の駅」と呼ばれる旧宇都井駅（島根県邑南町）では毎年11月、住民の手でイルミネーションが飾り付けられる人気イベント「INAKAイルミ」が開かれていました。

列車は来なくてもイベントは続けたい―。同法人がJR西日本や邑南町と交渉し、社会実験として来年3月末までの期間限定で宇都井駅を借りました。住民と力を合わせて今年もイベントを開催することにしたのです。

イベント当日は以前と変わらず7千人が訪れたほか、住民以外にも声を掛け、準備や片付けに参加してもらいました。実際、片付けには松江市や広島市から50人が集結。これまで住民だけで苦労していた作業も短時間で終わり、一緒に打ち上げの会を楽しみました。

さらに宇都井駅と同じ町内の口羽駅でトロッコ型車両を走らせる実験も。同法人のメンバーが事前に資格をとり、安全講習も受講し

トロッコ型車両を運転する江の川鐵道のメンバー＝島根県邑南町宇都井

て運転しました。宇都井駅からの絶景に加え、車両の風船や真っ暗なトンネル内のイルミネーションといった工夫が満載で、乗客は笑顔。宇都井駅のグッズやお弁当も開発、駅の116段の階段を利用したそうめん流しなどのイベントも開催していきました。

その結果、トロッコ型車両には515人が乗車し、関連イベントには述べ2千人が参加しました。三江線の廃止は全国ニュースになったこともあり、その後の動向に注目し、応援したいという人たちがたくさんいたのです。「将来は鉄道公園化したい」と江の川鐵道の日高弘之理事長は夢を語ります。

川本町でも同様に活用の動きが起こっています。冒頭にも書きましたが、何もなかったら廃止後に人がわざわざ足を運ぶことはなかったでしょう。人口減少時代を迎え、新しい物をつくることは難しくなっています。つくるより、足元にある物を「資産」ととらえ直して生かし、いかに新しい価値を生んでいくか。発想の転換が求められる時代なのだということを、江の川鐵道のチャレンジは体現しています。

［2018年12月28日掲載］

25

新しい感性で来島者に提案
真っ白な観光マップ

隠岐の島町

2015年にユネスコの世界ジオパークに認定された島根県隠岐の島町には、年間10万人の観光客が訪れます。町観光協会で働く井﨑遥さん（19）が最近開発したのが「真っ白な観光マップ」。時代に合わせた新しい観光の提案です。

同町で生まれ育った井﨑さんは漠然と「将来は外に出るんだろうな」と考えていましたが、隠岐高校時代に転機が訪れました。世界ジオパークについて学ぶ授業や、島に関わるプロジェクトを考えて発表したことで、「隠岐の島町から離れたくない」という気持ちが強くなっていったのです。

地元の求人を探しているときに見つけたのが、町観光協会でした。「観光って外から来る人と島をつなげる大切な仕事。ジオパークも学んだ私にぴったり！」。すぐに応募し、2018年春、就職しました。

働きながら、島の案内役である観光ガイドが高齢化の影響もあって減っていること、そして団体客より個人客が増えていることに気づきました。個人客にターゲットを絞った新しい観光の体験プランができないか──。そこで浮かんだのが真っ白な観光マップ。名所や旧跡が盛り込まれた一般的な地図

真っ白な観光マップを手にする井﨑遥さん＝松江市美保関町七類、七類港

ではなく、むしろ何も書かれていない白地図です。

その白地図を手に、島を案内しながら一緒に歩き、観光客自身が気に入ったお店やスポットなどを記入してもらう仕掛け。モニターとしてまず2組に試してみたところ、思った以上に地図づくりを楽しんでもらうことができ、手応えを感じました。秋には本格実施したいと準備を進めています。「今の時代は一人一人、気に入るツボが違うし、小さい範囲を深く知ってもらって楽しんでもらう方がいい。世界で一つのオリジナルマップができたら楽しいですよね」。

さらに島の伝統文化を伝えたいと民謡や三味線も習得中です。今後は高校生をもっと巻き込みながらカフェや下宿も運営してみたいと目を輝かせる井﨑さん。確かに時代の変化に伴い課題も変わってきます。それに対する答えとして、真っ白な観光マップという「逆転の発想」の鮮やかさには驚かされました。しかも、すべて相手に任せるという潔さ。怖いような気もしますが、だからこそ、そこに余白が生まれ、人が関わりやすくなるのかもしれません。新しい感性が紡いでいくこれからの島の観光が楽しみです。

［2019年9月27日掲載］

26

固有のローカルの価値見直す
ラムネMILK堂

飯南町

「わーカボチャだ」「焼きイモもあるよ」。2月下旬、親子連れの弾んだ声が響いていました。でもこれは産直市の野菜の話…ではなく、アイスクリーム。島根県飯南町頓原の「道の駅とんばら」にあるカフェ「ラムネMILK《ミルク》堂」です。

　ショーケースに並ぶ色とりどりのアイスは、名付けて「森のアイス」。町内の牧場でしぼった新鮮な生乳と、同じく町内の素材を使ったオール地元産のオリジナル商品です。冒頭のカボチャやサツマイモだけでなく、イチゴやショウガを使った旬のアイスや、店名にちなんでここでしか販売しないラムネ味の「ラムネMILK」アイスも。町内にない食材は、隣の雲南市などできる限り県内の食材やお店から仕入れ、年間通じて約60種類を販売しています。

　さらにユニークなのは、海を隔てた隠岐の島町の素材を使ったシリーズ「海と山のコラボアイス」です。きっかけは、県外でのフェアに両町が出店したこと。意気投合したことから同店のスタッフが隠岐の島町に渡って素材を探し歩き、藻塩やメカブなど隠岐ならではの7種類を開発した経緯があります。乳牛のいない隠岐の島町で地元素

アイスクリームを渡す本田裕基社長（左）＝島根県飯南町頓原

材を生かしたアイスが誕生し、海がない飯南町にとってもバリエーションが広がるという一石二鳥の企画。地域をつなげるアイスとして話題となり、同店はもちろん、隠岐の島町でも販売されています。

同店の前身は地元酪農組合の直営店でした。中国横断自動車道尾道松江線の開通で目の前を走る国道54号の交通量が減るといった環境の変化もあり、4年前に現在の「なつかしの森」が経営を引き継ぎました。積極的な商品開発に加え、技術力が評価されてOEM（相手先ブランドによる生産）の受託も増え、売り上げは順調に伸びています。特に同社が栽培するサツマイモは「森の絹」としてブランド化に成功し、アイスにとどまらない多角的な展開につながっています。

「今後は新しいお店を外に出してみたいですね」と本田裕基社長（40）。とはいえ、本拠地を飯南町から移すつもりはまったくありません。「ここだからできるし、楽しいです」と笑顔を見せます。

どこに行っても同じお店や風景が広がりがちなグローバル化の現代だからこそ、固有のローカルの価値が見直されてきています。同店はまさにそのお手本。ぜひ一度、訪れて味わってみてください。

［2020年2月28日掲載］

27 「釜炒り茶」特産品に ソットチャッカ

吉賀町

鉄釜で茶葉を炒ってつくる「釜《かま》炒《い》り茶」。中国から伝わったもっとも原始的な製法で、緑茶のほとんどが蒸してつくられる日本では珍しい製法と言えます。島根県吉賀町柿木村周辺に古くから伝わるこの文化を大切にしたいと、新しいお茶のブランド「ソットチャッカ」が誕生しました。

立ち上げたのは、東京在住の写真家・七咲友梨さん。実家が柿木村にある縁で6年前、同村の移住者から特産品をつくりたいという相談を受けたことがきっかけでした。地元にどんなものがあるのか調べるうちに、自分たちで飲むお茶を自分たちでつくり続けていることに思い至ったのです。

かつての農家では当たり前の光景でしたが、安くて便利な加工品が流通し、今では買うのが主流です。しかし、七咲さんの実家では在来種を農薬や化学肥料を使わずに在来種を栽培しており、樹齢は若くて50年、中には100年を超えるような木もあります。このように在来種で有機栽培、加えて樹齢が長いという3要素がそろっているのは、珍しい釜炒り茶の中でもさらに希少ということでした。

振り返ってみれば、七咲さんも子どものころから釜炒り茶を飲んでいました。そして、どの家にも大きな鉄釜があり、5月には田植

ソットチャッカのシリーズを
手にする七咲友梨さん

えとお茶の新芽の話題で持ちきりだったのです。「素晴らしい里山文化に気付いてしまった」。試行期間を経て、２０１７年、正式に立ち上げました。

５月初旬から中旬、家族で摘んだ新芽を鉄釜で炒ってもみ、数日間天日干しをしてからパッケージに詰めます。これらはすべて手作業。６、７種類の野草をブレンドした野草茶もシリーズ化し、合わせて約10キロを主に県外で販売します。毎年完売していますが、自分たちのためにつくってきたものを「おすそ分け」するというスタンスのため、大量生産するつもりはありません。

新型コロナウイルスの影響で今春、七咲さんはお茶摘みに帰ることができませんでした。どうなるのか心配しましたが、近所の人たちが手伝ってくれ、無事に作業を終えることができました。「地元との懸け橋として都会の人に届け、きちんと売れることを証明したい」と七咲さん。地元のハチミツとのコラボレーションも検討中です。「そっと着火し、消えない明かりをともし続けていく」という意味を込めたブランド名・ソットチャッカが、その通りになりつつあります。

［２０２０年７月31日掲載］

28

「明かり」絶やしたくない INAKAイルミ

邑南町

8月下旬、闇に照らされる「天空の駅」のイルミネーション写真が並ぶ部屋で、熱心に議論している人たちがいました。邑南町の住民たちでつくる「ＩＮＡＫＡイルミ実行委員会」のメンバーです。

ＩＮＡＫＡイルミは高さ20メートルの旧三江線宇都井駅をイルミネーションで彩る秋の恒例イベント。きっかけは10年前、町が国の補助金を活用してイルミネーション企画を通じた町内企業のＬＥＤ製品開発支援を始めたことでした。

ＬＥＤランプを製造するトリコンの上田康志社長や、照明の専門家・ＬＥＭ空間工房（大阪市）の長町志穂社長らが中心となり、住民とともに町内を訪ね歩いてイルミネーション設置場所として選んだのが宇都井駅。上田社長は「駅に上がるとちょうど列車が来て夕日が沈み、家並みと山々のコントラストが最高の雰囲気。もうここしかないと思った」と振り返ります。「田舎でしかできないロケーションを探したい」という狙いにぴったりだったのです。

住民の協力を得て２０１０年、第１回のＩＮＡＫＡイルミが実現。その後も新たなイルミネーションを工夫しながら毎年開催し、駅と車両、谷筋の家や田んぼが一体と

議論するINAKAイルミ実行委員会のメンバー＝島根県邑南町宇都井、宇都井自治会館

なった「世界でここにしかない明かり」を見ようと毎回数千人が詰めかけるイベントとなりました。多いときには2万人が訪れた年もあります。

途中、きっかけとなった国の補助金の終了やJR三江線の廃止といったピンチもありましたが、いずれも乗り越えて10回を数えました。その原動力は、住民の熱意と協力態勢、さらに地域外から応援する大学生や社会人など「関係人口」と呼ばれる人たちの存在も大きいと言えます。イルミネーションの設置や片付け、グッズの開発など、応援したいという人たちが全国から集まり、行動しています。同実行委員会の三次宏昭委員長は「来てくれるのも熱心な人が多いし、みんなの楽しみになっている。絶やしたくない」と力を込めます。

さらに今年は新型コロナウイルスの感染拡大という次なるピンチが訪れました。それでも、無観客でイルミネーションを設営し、インターネット配信するという新たな形で開催することが決まりました。とにかく明かりを絶やさない―。関わる人たちの思いが詰まったイルミネーションが今年も灯ります。

［2020年9月25日掲載］

第2章のまとめコラム

　どこに行っても同じお店や風景が広がりがちなグローバル時代。どこかの真似をしても、どこかにある似たものしか生まれません。それでは新しいものをゼロからつくろうと考えても、財源もリソースも限られるという制約があるのが人口減少時代です。

　ではどうすればいいのか――。出発点は自分たちの足元。「ここだからこそ」あるものを生かし、磨いていくことが、ヒントになります。島根はそこにいち早く気づいた先駆け的な存在でもあります。

　なかでも大きな取り組みだった「A級グルメ」の看板を2023年、邑南町がおろしたことは、さまざまな町内の事情や苦労を見聞きしているうえでも、考えさせられる点が多いように思います。今後の何か教訓になることを願います。

　一方、同町では、旧JR三江線の廃線跡を資源として生かし、トロッコやINAKAイルミという新しい価値を生む取り組みも生まれています。2章では、18の三江線魅力化から始まり、22の江の川よーいドン、24の江の川鐵道、28のINAKAイルミへと、そのときどきの懸命の取り組みと模索の結果、つながってきていることが伝わってきます。

　19のつむぎもそうですが、負の遺産と言われがちな鉄道も、もはや新しくつくれない時代のなかに位置付ければ、貴重な資産となります。鉄道に限らず、足元の資源を生かすか生かさないかは、そこに暮らす私たち次第です。

第3章

つながりは力

人、モノ、地域の多様なつながりや新しい連携のかたちをつくり、そして役割分担することが、リソースの少なさをカバーする以上の大きな力になる。

31 33 34 37 39 40 41

Outside

30 35 36 42

29 島大Spirits！（松江市）

30 しまコトアカデミー（東京）

31 シマブロ！

32 BOOK在月（松江市）

33 島根県中小企業家同友会

34 しまね協力隊ネットワーク

35 コメッコ共同体

36 離島キッチン

37 飲み会GO説

38 草刈り応援隊（雲南市）

39 一般社団法人しまね協力隊ネットワーク

40 島根本大賞

41 しまねChairs

42 離島百貨店

29

つながろう 学生と地域
島大Spirits!

松江市

皆さんは大学時代、どんなサークル活動をしていましたか？私の時代にはまったくなかったようなサークルが、今、島根大学（松江市西川津町）にあります。いわゆる「地域系」サークル。「学生と地域とつなぐ」をテーマにした「島大Ｓｐｉｒｉｔｓ《スピリッツ》！」です。略して「島スピ」。たった一人の気付きから始まった活動が、今では60人近くメンバーを抱えるほど広がりました。

始まりは２００９年、当時４年生だった清水隆矢さん（28）＝愛媛県出身＝が、インターンシップで偶然、石見銀山ツアーを手伝ったとき。「自分のまちを何とかしたい」と真剣に語り、動く大人に出会い、「地域にはこんなに熱い人たちがいて、学生が関わる方法もあるんだ」と激しく心が揺さぶられました。

仲間を誘って出かけるようになり、サークル化。改革で有名な島根県海士町の岩本悠さんの学内講演会や、泊まりがけで学生を地域に連れて行くツアーを企画したほか、こうした学生の活動を発信する「島根サミット09〜地域で活きる学生の力」を開催するなど、ぐんぐん広げていきました。

私もその姿を見ながら「学生がこんなに地域を面白いと思うなんて！時代が変わったなあ」と驚

曽田文庫の貸し出しボランティアをする島大Spirits!のメンバー

き、うれしく思っていました。それに、学生と交わることは、大人にとってもいい刺激になりますよね。

清水さんには、問題意識がありました。島根大学生の7割近くは県外出身。大学とバイト先と自宅の往復で、地域を知らないまま卒業する人も多いそうです。中には「島根って何もないし、つまらない」という人もいるとか。

「県外生は島根にIターンしたみたいなもの」と清水さん。地域を知り、好きになれば、卒業後も住み続ける選択肢が出てくるし、仮に県外に出ていったとしても、島根の広告塔になって発信してもらえる。だから、そのきっかけをつくりたかったのだそうです。実際、清水さんは今、出雲市の鵜鷺地区を拠点にNPO「ふるさとつなぎ」を立ち上げ、地域づくりに関わっています。

最近の島スピは、有志で運営する松江市の私設図書館・曽田文庫の貸し出しボランティアのほか、地域のイベントやまつりの手伝いが主な活動です。6代目となる部長の藤原健祥さん（21）＝神戸市出身＝は「島根の人は、都会の人より地域を盛り上げようとがんばっていると感じる。自分たちもできることをしたいので、ぜひ声を掛けてほしい」と笑顔です。

［2015年7月24日掲載］

30 島根との新しいつながり方 しまコトアカデミー

東京

12月上旬のある土曜日。東京のどまん中で、島根の地域づくりをアツく語り合う人々がいました。しかも、首都圏に住む20～30歳代の若い世代。なぜ東京で島根…？「しまコトアカデミー」です。

「島根や地方に貢献したいけど、すぐに移住はできないし、どう関わればいいのかわからない」。都会で暮らしながらこんなふうに思っている人は、実は少なくないのです。そこで2012年度、島根県が、東京で地域づくりを学ぶ講座として、しまコトアカデミーをスタートさせました。

受託、運営しているのが、松江市のシンクタンク・シーズ総合政策研究所と人気雑誌「ソトコト」。実際にどんなことをしているのでしょうか。

12月上旬の第5回講座に集まっていたのは、15年度の第4期の受講生14人。やはり島根出身者が多いですが、中には東京生まれ、東京育ちの人も。職業は、公務員や会社員、学生などさまざまです。

これまで9月から月1回の講座で、島根の現状と課題を講義で学んできました。11月には2泊3日で東部、西部、隠岐の3地域に分かれて島根を訪れ、地域づくりの実践者たちに話を聞いたそうです。

島根について語り合うソトコトの指出一正編集長（左から3人目）と受講生ら＝東京都中央区、イトーキ東京イノベーションセンター・SYNQA

この日は、島根訪問での気付きをグループで議論してまとめ、発表しました。16年2月までに自分の「コトおこし」プランを練り上げる予定です。

この4年で51人が受講し、10人が島根にU・Iターンして NPO 法人てごねっと石見（江津市）やふるさと島根定住財団（松江市）などで活躍しています。運営を手伝っている卒業生も。その1人、益田市にUターンした村岡詩織さんは「しまコトのおかげで島根との多様な関わり方があることがわかりました。ここでの縁が、島根でも仕事につながっています」と話します。

人口減少時代、全国の自治体は移住政策に懸命ですが、島根県は一歩先を行き、離れていてもつながることができる新しい仕組みをつくっているのです。タイミングが合えば移住するし、仮に移住できなくても島根ファンとして関わり続けることができる。そんな幅の広さは確実に島根の魅力になっています。15年度は関西でもスタート。ますます目が離せません。

［2015年12月25日掲載］

31 100人で起こす化学反応　シマブロ！

皆さんは今年のお盆はどのように過ごされたでしょうか。私は「初めましてから始まる しまね若者100人のつどい2016夏」に参加してきました。100人もの若者が集まるイベント。100人ですよ！ なかなかインパクトがありますよね。4年前から毎年、夏と冬に島根県内で行われています。

主催しているのは「シマブロ！」。島根にUIターンした20〜30歳代の有志の集まりです。発端は、メンバーの宍戸俊悟さん（奥出雲町）が東京で働いていた時代、想像以上に「島根が好き」「いつか帰りたい」という若者が多いと気付いたことでした。

彼、彼女たちは、島根で活動している面白い人たちとのつながりを求めていました。もちろん島根にそういう人がいないわけではありません。ただ、両者が交わる機会がなかっただけなのでした。

そこで試しに2012年、東京の若者が帰省するお盆に両者の交流会を開いてみると、大好評。新しいつながりや活動が生まれて喜ばれたことから、続いて年末にも開催、翌年もお盆と年末に開くようになりました。

さらにより多くの人がつながり、化学反応が起こる機会をつくろうと2014年の夏からは100人

100人を越えた参加者での記念撮影＝松江市寺町、ホンソゴ

規模へと拡大。交流だけではなく、島根の未来を考えるワークショップも企画するなど工夫しています。「初めましてから始まる」というタイトルは、初めての人や一人でも気軽に参加してほしいという思いを込めているそうです。5年目となった現在は、この大交流会めがけて帰省してくる人もいるなど、島根の恒例イベントとして定着しつつあります。

シマブロ！のキャッチコピーは「住んでいる私たちが楽しければ、島根はもっと楽しくなる！」です。一般的に「地域活性化」という言葉も耳にしますが、その活性化すべき「地域」とは何でしょうか。

メンバーは「人」だと考えています。人の集合体が地域。だから、まずは自分と仲間が地域で楽しく生きる。そのこと自体が地域を楽しくする。そういう地域にはきっとUーターンする人も増えると思いませんか。ステキな考え方ですよね。

実は私自身も以前はシマブロ！メンバーの一人としてお手伝いしていましたが、この春で「卒業」し、外から応援、サポートしています。ほんの少しでも心が動き、興味を持った方は、この冬の大交流会にぜひ顔を出してみてください。一緒に島根の熱さと面白さを体感しましょう！

［2016年8月26日掲載］

32 本と本好きが集う松江にBOOK在月

松江市

　素晴らしい本との出合いは、素晴らしい人との出会いと同じくらい、人生を変えるし、豊かにしますよね。だから、まちの中に本と出合う機会があるというのは大切なことだと思っています。そんな私が毎年楽しみにしているのが「ＢＯＯＫ《ブック》在月《ありづき》」というイベントです。

　ＢＯＯＫ在月とは造語で、島根では旧暦10月を「神在月《かみありづき》」と呼ぶことに引っかけて、さらに「本と本好きが集うまちにしたい」という想いを込めているそうです。

　なんだか粋ですね！　メンバーは松江に住む有志の15人。２０１３年から毎年10月にイベントを開催してきました。

　今年は9月から11月にかけて14のイベントが予定されています。松江ゆかりの文豪・ラフカディオ・ハーンにちなんだクレオール料理を味わったり、自分の本立てを組み立てたり。本は中心に置きながらも、幅広い内容です。

　メインイベントが「一箱古本市」。10月22日午前10時から午後3時まで松江市のカラコロ工房で開かれます。一人一箱好きな古本を持ち寄る、古本のフリーマーケットと思ってもらったら良いでしょうか。各地でさかんに開かれている人気

昨年のBOOK在月での一箱古本市。35人が出店し、多くの人出でにぎわいました（BOOK在月実行委員会提供）

企画で、縦50センチ×横40センチの箱に古本を詰めて持ってくれば誰でも出店、つまり古本屋になることができます。私も昨年出店しましたが、来場者や他の出店者との会話が楽しくて、あっという間に時間が過ぎました。

当日はビブリオバトルという「知的書評合戦」もあります。5分で面白いと思った本をプレゼンし、参加者が一番読みたくなった本を基準に投票して1位を決めます。こちらも各地で行われていて、全国大会もあるんですよ。

そのほか、この1年間で「もっとも島根的」な本をみんなで選ぶという「島根本大賞」も昨年から始めました。インターネットや松江市田和山の今井書店グループセンター店で投票することができます。

同実行委員会の内藤直子代表は「本を通じて松江のまちを楽しくしたい」と話します。毎年着実に進化しているBOOK在月。読書の秋、ふらりと寄ってみると、素敵な本や人に出会えると思います。ぜひ楽しんでみてください。

［2016年9月30日掲載］

33

連携で魅力的な職場を
島根県中小企業家同友会

4割近い社員が就職後3年以内に会社を辞める――。島根県内の企業に就職した大学生が3年以内に離職した割合は、2013年卒で38・4％、14年卒39・7％、15年卒35・9％。いずれも全国平均を上回っています。

こうした現状を受け、不本意な離職を防ごうと県内220人の中小企業経営者らでつくる「県中小企業家同友会」が4年前から開催しているのが、合同での入社式。新入社員たちが会社の枠を超えて同世代とつながる機会をつくり、さらに人材育成も合同で行う狙いがあります。

4月7日、松江市内で開かれた今年の合同入社式には、県内19社の新入社員31人が参加し、続いて泊まりがけでの研修もありました。丸加石材工業（松江市東出雲町）に入社した福島はるかさん（20）は「社内には同期がいないですが、他の会社でできました」と笑顔。参加者同士で盛り上がり、食事に出掛ける約束もできたと楽しそうに話していました。

半年後にも再び合同研修を予定。さらに同友会では、経営者が教育関係者と勉強会を開催するなど魅力ある会社づくりや人材育成の取り組みを強化しており、今後、共同での採用に向けても動きを加速させるそうです。

島根県中小企業家同友会の合同入社式に参加する新入社員＝松江市白潟本町、スティックビル

今年の入社式のあいさつでは、同友会代表の小田隆弘コダマサイエンス社長が「自分を大切にして、幸せでいてください」と呼び掛け、先輩社員も「応援してくれる人がいることを忘れずに夢をあきらめないで」と語り掛けました。

世の中には、紙に書いたあいさつ文を読み上げる形式的な入社式もあると思いますが、今回２人のメッセージからは目の前の新入社員のことを真剣に思っている様子が伝わってきて、取材していた私は心が揺さぶられました。こうして一人一人との距離が近いことが中小企業の魅力なのだと再認識しました。

ただ一方で、社内に同期や同世代がいなかったり、単独で研修を行うことが難しかったりするのは、確かに中小企業の課題であり、離職につながったり、就職先として敬遠されたりする要因になっているとも思います。

だからこそ、会社同士が連携して環境を整え、課題をカバーする。地道な取り組みを続けることで、中小企業の魅力を高め、それが働きやすい会社、ひいては働きやすい地域にきっとつながると、期待が膨らみました。

［２０１７年４月28日掲載］

34

仲間のつながりを力に しまね協力隊ネットワーク

「地域おこし協力隊」という言葉を聞いたことがあるでしょうか。都市の人が地方に移住し、地域で活動する制度です。スタートした2009年度は全国で89人（実施自治体数31）でしたが、毎年どんどん増え、16年度は3978人（同886）。こんなに多くの人が地方に移住しているなんて、驚きませんか。

特に島根県内では202人の隊員が活動しており、全国3位の多さ。その一方で、課題も浮上していました。3年の協力隊の任期を終えた後に住み続ける人の割合が37・2％で、全国平均の64％と比べても低いということです。

さまざまな要因は考えられますが、一つには、島根は東西に長く、さらに離島の隠岐地域もあるため、当事者同士が集まって情報共有する機会が持ちにくく、仲間が見つからずに孤独感を感じがちということがあったのです。

そこで現役の協力隊の卒業生たちが立ち上がりました。11月上旬、「しまね協力隊ネットワーク」を設立。奥出雲町内で行われたキックオフイベントでは、県内から協力隊員や卒業生ら30人が集まり、協力隊向けの研修や、協力隊が一同に集まるイベントの企画運営、

キックオフイベントで仲間と議論する三瓶裕美さん（右）＝奥出雲町横田、かがり屋

卒業生のリストづくりなど、今後の取り組みを確認しました。

「多くの協力隊が志を持って移住してきたのに離れる姿を見て、残念に思っていた。少しでも力になりたい」と三瓶裕美代表（42）。三瓶さんは、協力隊の任期を終え、現在は雲南市に住んでいます。また、隠岐の島町から参加した現役協力隊の五十嵐杏美さん（27）は「困ったときに誰に相談していいかわからなかったが、これからは相談できるのでありがたい」と喜んでいました。

私自身もこれまで協力隊員に出会う中で、島根の定住率の低さには問題意識を持っていました。もちろん、それぞれの人生の選択がありますので、全員が全員、残ればいいというわけではありませんが、せっかく重大な決断をして島根という土地に移住してきた人たちが、島根を気に入り、残りたいと思ったなら、そうできる環境を整えたい。仲間のつながりができることは、大きな力になりますし、ネットワークはその大きな一歩だと思います。私自身もサポーターの一人として関わり、応援していく予定です。

［2017年11月24日掲載］

35 離れていても貢献できる コメッコ共同体

メンバーの多くが東京在住。それなのに松江をテーマに演劇作品を創作し、松江で上演した劇団があります。「コメッコ共同体」です。

直接のきっかけは、代表の松崎義邦さん（23）が松江市出身であること。高校時代、松江工業高校の演劇部で活動しながら、雲南市で行われていた創作市民演劇にも参加し、演劇の魅力に目覚めました。上京して大学で演劇を学び、現在は「地域密着、拠点日本」を掲げて活動する劇団「東京デスロック」に所属。その傍ら、大学時代の同級生を中心に、松江市在住の仲間も加えた7人でコメッコ共同体を結成し、2017年に松江で初上演しました。

「演劇を通して、人のおかげで生きていることに気付き、昔はさほど好きでもなかった自分の生まれ育ったまちが愛おしくなっていった」と松崎さん。演劇を通して同じように感じてもらう人が増えてほしい——。その相手は、東京ではなく、やはり松江に住む人たちだったのです。

7月にメンバー全員で松江を訪れ、街で出会った人の記憶やメンバーの記憶を聞き、松江の歴史も調べて議論しながら「八月、松江に在す ここからゆっくりと遡行《そこう》

練習する松﨑義邦さん（左から二番目）らコメッコ共同体のメンバー＝松江市殿町、カラコロ工房

してゆく」という作品を完成させました。

8月10、11日に行われた公演。会場は、旧日本銀行松江支店の建物を生かした「カラコロ工房」にある地下金庫。ステージはありません。部屋全体を舞台として、観客は部屋の両脇に置かれた椅子に座って鑑賞するスタイル。スクリーンとして使った壁には、明治時代の文豪・小泉八雲が当時の松江の風物を描いた『神々の国の首都』の一節が映し出され、その朗読に、現代に生きる人々の記憶をテーマにした芝居が交錯していきました。

コメッコ共同体メンバーの天野莉世さん（23）＝川崎市＝は「知らない土地で新しく演劇をつくるというコンセプトが面白かった」と笑顔。松﨑さんも「今後も毎年、松江でやりたいし、島根の他の地域でも公演ができたらと思っています」と話します。

離れていてもふるさとに貢献したいという松﨑さんの想い。実際同じように考えている県外の若い世代に何人も出会ったことがあります。地域に暮らす一人として、こうした想いを受け止め、そして、生かしていく地域でありたいと思います。

［2018年9月28日掲載］

36 つなげて発信力を高める離島キッチン

10月半ば、島根県海士町の新鮮なスルメイカを使った「寒シマメ漬け丼」を味わいました。どこで味わったのかというと、海士町ではなく、東京・日本橋。海士町観光協会が全国4カ所で展開している飲食店「離島キッチン」です。

同町観光協会は2009年度、同町の物産を売り歩く職員「行商人」を募集しました。採用されたのが佐藤喬さん（42）。秋田市出身で、海士のことは知りませんでしたが『行商』という響きに引かれてしまったんですよ」と笑います。

何をどうするのかゼロから話し合う中で、海士町と東京という「点」と「点」を結ぶなら「線」にしかなりませんが、全国416ある離島を結べば「面」になって広がりが大きいと気付きました。同町だけではなく離島全体を視野に入れて食を扱う「離島キッチン」という名前のキッチンカーを始めたのです。

メニューは同町のさざえカレーと奄美大島（鹿児島県）の鶏飯。当初はまったく売れず心が折れそうだったと言いますが、ショップカードを手渡しして歩く地道な作戦が奏功し、少しずつ売り上げも伸びてきました。いくつか仮店舗

スタッフと打ち合わせをする佐藤喬さん（中）＝東京・日本橋、離島キッチン

の運営を経て、2015年、東京・神楽坂に常設店の離島キッチンをオープン。ユニークなコンセプトが注目され、軌道に乗ってきました。

現在は東京の神楽坂と日本橋、福岡市、札幌市に店舗を構え、スタッフが毎月島を巡り、食材を見つけてきては、議論して新しいメニューを開発しています。例えば、屋久島（鹿児島県）の鯖《さば》スモークや淡路島（兵庫県）のタマネギ、宮古島（沖縄県）の宮古牛のハンバーグ。「スタッフがおいしいと納得できるものを売る」。海士町のイワガキ「春香《はるか》」も人気です。

離島の魅力を「距離的に近くても全然違う。食べ方も独自に確立されていて、混ざらなくて、まるで原色の風景を見ているようで面白い」と語る佐藤さん。今後は、食に限らず離島の課題解決につながる事業を、離島の人や都市に暮らす人たちとも一緒になってつくっていくことを目標にしています。

「地方創生」と言われ、地域間競争が激しくなっている中、個別に発信しても届く範囲は限られます。それよりも力を合わせることで発信力が高まり、全体の底上げにつながる。離島キッチンはそのお手本のように思えます。

［2018年10月26日掲載］

37

企業と学生の幸せな出会い
飲み会GO説

　写真に写っているのは、弾けた笑顔。どんな楽しいイベントなのかと思いますよね。ところが、これは島根県内の企業と学生が集まる合同説明会。問題意識を持った学生と経営者がコラボした初の試み「飲み会GO《ゴー》説」です。

　企画したのは、松江市出身で、法政大（東京）に通う野津直生さん（21）。就職活動で合同説明会に参加した先輩たちがあまり意味を感じていないと聞き、驚きました。確かにイメージは、黒いスーツ姿の学生と企業の社員が固い表情で向き合っている―。「それってつまらないし、企業にとっても学生にとっても不幸」。そんなとき、企業の社長と学生をつなげる飲み会を開いた他県の取り組みを知り、ヒントをもらいました。東京の友人とつくった団体「全国ワカモノ実験場」の島根支部のメンバーである島根出身と在住の4人の学生に声を掛け、一緒に新しい合同説明会を開催することにしたのです。

　ちょうど野津さんの父親・積さん（51）は松江市内で会社を経営。中小企業の経営者でつくる島根県中小企業家同友会（313社）の一員として複数の企業の共同求人を率先して進めていました。そこ

飲み会GO説に参加し、記念撮影する学生と企業の担当者＝松江市寺町、縁

で全国ワカモノ実験場島根支部と島根県中小企業家同友会の共催が実現することになりました。

12月上旬の本番には、企業側は24社から30人、学生は50人が参加。スーツではなく普段着で、そして、企業の資料を持ち歩かないことがルールです。1企業に対して学生2人が座り、席を入れ替わっていきました。最後に野津さんたちは「一緒に働きたい人が見つかりましたか?」というメッセージを投げかけました。学生は「これまで知らなかった人に出会えて楽しかった」と声をそろえ、企業の担当者も「学生からたくさん話が聞けた」と喜んでいました。

次の企画も計画中で「企業と学生とのつながりをより深くしたい」と野津さん。実は2017年4月、中小企業家同友会の合同入社式をこの連載で紹介しました。そのときの中小企業同士の連携から、さらに学生たちともつながって進化しているのです。地方の人手不足が喧伝されますが、まだまだできることはあるし、まずは動くことからしか始まらない、と実感しました。

［2019年1月25日掲載］

38
外の力を借りて課題解決
草刈り応援隊

雲南市

刈っても刈っても勢いよく伸びる草。これからの季節、農家を悩ませる大きな1つが、田んぼの草刈りではないでしょうか。それを地域内外の人々の力を合わせて楽しく乗り切ろうという試みが、中国山地の山あい、島根県雲南市吉田町の宇山地区で始まっています。その名も「草刈り応援隊」。

寒暖差が激しく、雪解け水に恵まれる宇山地区は「うやま米」というブランド米の産地です。約50キロ離れた松江市にある米専門店・藤本米穀店の藤本真由社長が2017年、同市の若手社会人と宇山地区で活動する住民団体「里山照らし隊」をつなげ、一緒に議論する中で、地区の大きな課題である草刈りの解決に向けて定期的に草刈り応援隊を募る新しい企画が誕生しました。

2018年からは年3回、松江市や雲南市の若手社会人や学生が草刈り応援隊となって地区に出掛け、住民とともに機械を使って草を刈っています。機械に慣れていない初心者には住民が簡単に使い方を指導するようにしています。

2019年の初回、5月18日には総勢35人が参加。一斉に草を刈る風景は圧巻で、緑の草に覆われていたあぜ道や斜面があっという間にきれいになっていきました。終了後は全員で地区の食材を使っ

住民に教えてもらいながら草を刈る「草刈り応援隊」の参加者＝島根県雲南市吉田町宇山

た料理を囲み、ねぎらい合いました。

日常的に向き合うのは辛い草刈りも、大人数でイベント化すれば、楽しくできる。「気持ちよく汗をかいて、ストレス解消になる」と喜んで参加する人や「地区の住民と話せるのが何より楽しい」と話す人もいます。主催する里山照らし隊の事務局、堀江智浩さん（39）は「若い人たちが来てくれるおかげで、住民のモチベーションが上がった。本当に感謝している」と笑顔を見せます。

最近、地域に長期的に住む「定住人口」でも観光で短期的に訪れる「交流人口」でもない、住まなくても継続的に関わる「関係人口」という方が注目されています。草刈り応援隊は、まさに関係人口というあり方の一つであり、その可能性を示しています。たとえその地域に住んでいなくても課題解決を助けることはできるし、地域にとっても外の力を借りて暮らしやすい地域をつくることにつながります。

今年の草刈り応援隊は7月7日と8月24日に予定されています。申し込みや問い合わせは里山照らし隊、電話０９０（４１４５）７３１２まで。

［２０１９年5月31日掲載］

39

活動の幅広げ着実に進化
一般社団法人しまね協力隊ネットワーク

9月上旬、松江市内で開かれた「地域おこし協力隊」の研修会。協力隊員と、隊員を受け入れている自治体職員がそれぞれのグループに分かれ、ワークショップ形式でお互いの課題や今後の計画を熱心に語り合っていました。

研修会を企画・運営していたのは、現役の協力隊員や卒業生でつくる「しまね協力隊ネットワーク」です。特に卒業生を中心に現役時代に受けたかった研修を目指して設計したと聞き、これこそ求められる研修だと納得しました。

都市の人が地方に移住し活動する地域おこし協力隊。スタートした2009年度は全国でわずか89人（受け入れ自治体数31）でしたが、2018年度は5359人（同1061）に増加。隊員のサポートにつなげたいと総務省も卒業生のネットワーク化を呼びかけていますが、あまり進んでいないのが実情です。

全国トップクラスの160人の隊員が活動する島根では、17年にしまね協力隊ネットワークが発足。さらに19年4月、県単位での協力隊のサポート組織としては全国2例目となる法人化も実現しました。

一方、3年の協力隊の任期を終えた後に住み続ける人の割合が37％

研修会で現役隊員の話に耳を傾けるしまね協力隊ネットワークのメンバー＝松江市内中原町、県職員会館

で、全国平均の64％と比べても低いという課題もあります。

しまね協力隊ネットワークは、定期的にイベントを開催し、隊員や卒業生をつないで情報を共有するほか、18年度からは県内の協力隊員向けの研修も県庁と協力して実施。さらに県立大学とも協力して協力隊の研究も始まるなど、ネットワークにかかわる人が増え、活動の幅も広げています。

代表を務めているのは、協力隊の任期を終えた後、雲南市を拠点に活動する三瓶裕美さん（44）。「基盤はできてきたので、次はどんなサポート体制をつくっていくのか、方向性やビジョンを考える必要があります。関わってくれる皆さんと島根らしい形をつくっていきたいと思います」と話します。

この連載でも発足時に一度紹介しましたが、その後法人化し、着実に進化している姿は本当に頼もしいです。地域おこし協力隊という存在も、地域の大切な人材。興味を持った方はぜひネットワークのＦａｃｅｂｏｏｋページを見てみてください。

https://www.facebook.com/shimane.kyouryokutaiNW/

［２０１９年10月25日掲載］

40 大きく育て「ご当地本」島根本大賞

　1年間で「もっとも島根的」な本をみんなで選ぶ。こんな賞が行われているのをご存じでしょうか。その名も「島根本大賞」。2015年に始まりました。

　こうした「ご当地本」の賞は広島や静岡、京都など各地で設けられており、島根でもと立ち上がったのがBOOK《ぶっく》在月《ありづき》実行委員会。「神在月」に引っかけて命名した、本好きの有志約15人の集まりです。

　まず過去1年間に出版された島根にまつわる本の中から、同委員会メンバーが10冊を選んでノミネート。今井書店の県内店舗と同委員会が11月に開くイベントBOOK在月内で一般投票を受け付け、大賞が決定する流れです。同委員会の沖田知也さん（29）は「ユニークだったりニッチだったり、いろんな本が毎年出てくるので、実行委員会としても楽しいです」と笑顔を見せます。

　店頭での投票が可能になっているように、今井書店が全面的に協力しています。ここには1人の名物書店員の存在がありました。松本邦弥さんです。そもそも出版された膨大な中から島根にまつわる本を探し出すこと自体、地元書店の協力がなくては難しいと言えます。島根本大賞の理念に共感

島根本大賞の投票ボード＝松江市白潟本町、スティックビル

＜島根本大賞 受賞作一覧＞
第1回『胸の小箱』(浜田真理子)/写真集『松江』(山陰放送)
第2回『地域ではたらく「風の人」という新しい選択』(田中輝美・藤代裕之研究室)
第3回『山陰絶景』(今井出版)
第4回『古代出雲繁栄の謎』(川原和人)
第5回『おがっちの韓国さらん本〜本当に知ってほしい!韓国の話』(おがっち)

し、第1回から実現を後押しした松本さんは、2017年、急逝しました。それでもその後も同社のスタッフが変わらず協力を続けています。

「(松本さんから)引き継いでやっているつもりですし、絶やすことなく続けていきたい」と、今井書店グループセンター店の藤本美保副店長。昨年までの投票場所は松江市内の1店舗のみでしたが、社内から広げようという声が挙がり、今年は全県の5店舗へと拡大したそうです。さらに、例えば大賞受賞者を招いたイベントの開催など「今後は受賞後の盛り上がりも何かお手伝いできたらなと思っています」と藤本さんは話します。

実は私も第2回で受賞し、地元島根の人たちに選んでもらった賞ということで想像以上にうれしく、励みになったことを覚えています。毎年ノミネート作を見るだけでも「島根をテーマにした本がこんなにあるなんて!」とワクワクします。新しい本と出合うきっかけとなる島根本大賞、もっともっと大きく育っていくといいなと、読み手としても書き手としても願ってやみません。

[2019年12月27日掲載]

41 フリーランスの輪広がる しまねChairS

　特定の企業や団体・組織に専従せず、独立して仕事を請け負うフリーランス（個人事業主）。数は多いとは言えませんが、だからこそ、島根でつながっていこうというグループが立ち上がりました。「しまねChairS《チェアーズ》」です。

　呼びかけたのは、同県美郷町出身で在住の三上慎太郎さん（35）。東京で飲食店などを経験し、Uターン後の4年前に独立。固定店舗を持たないフリーランスのコーヒー職人として、島根、広島両県の各地でイベントの企画や出店、コーヒーの焙煎《ばいせん》などを手がけ、事業は軌道に乗っていました。

　活動しながら感じたのが、特に三上さんが拠点にする中山間地域では、フリーランス同士が知り合う機会がなく、立場が異なる会社員には相談がしづらいこともあって、それぞれが孤立しがちであるということでした。

「同じ境遇だからわかることもあるし、まずは集まって一緒に食事をするだけでもいいのでは」。ネットワークが広がれば、仕事上の取引につながる可能性も広がります。そこで知人のフリーランスらに声をかけ、2019年3月、初めての情報交換会を同県飯南町で開きました。

異業種交流会で料理をふるまう三上慎太郎さん（中央）＝同県川本町川本、なみや

その後も定期的に開催しており、毎回10人以上が集まって満席のときもあるなど好評です。仕事の相談や悩みを共有するほか、新しい企画が生まれたケースも。そして6回目となった同年12月、任意団体しまねChairSを立ち上げることにしました。イスを意味するChairを名前に付けたのは、フリーランスが自分のいす＝仕事を自分でつくる存在であるということに由来しています。

現在、会員は9人。同じくフリーランスとして活動する私にとっても、しまねChairSの存在は頼もしい限りです。3月中旬、同会が企画したフリーランスに限らない拡大版の異業種交流会に取材も兼ねて参加し、早速、入会しました。

「島根の中山間地域って、何にもないから何でもできる。だからこそ事業もしやすいですよね」とフリーランスの可能性と面白さを口にする三上さん。この考え方に共感しますし、輪が広がり、フリーランスが活動しやすい環境がさらに整っていけば、結果的に面白い地域づくりにもつながっていくのだと実感しました。

［2020年3月27日掲載］

42

島同士　横にスクラム
離島百貨店

11月21日、離島の島根県海士町を舞台に、関係人口拡大×雇用の創出×地方創生シンポジウムが全国へライブ配信されました。仕掛けたのは一般社団法人「離島百貨店」。全国の島と島、島と人をつなぐプラットフォームです。

立ち上げたのは、元町長の山内道雄さんと、元町職員で観光協会事務局長を務めていた青山富寿生さん。だからといって、同町のためだけの団体ではありません。むしろ単独の自治体の枠を超える必要性があるからこその決断と行動でした。「島同士が横にスクラムを組むのが大事」。山内さんは強調します。

それまでも同町観光協会は、東京などで全国の離島の食を扱う飲食店型アンテナショップ「離島キッチン」を運営してきました。全国416ある離島が共通の課題を抱えているにもかかわらず個々に行動していることを実感し、2019年、より多くの離島の課題解決に向け、離島百貨店を立ち上げることにしたのです。

加盟しているのは現在、約20自治体で、活動を通じてつながりを持つ島は約150。特に力を入れているのが、6月に法制化された「特定地域づくり事業協同組合」

「離島百貨店シンポジウムin海士町」～関係人口拡大×雇用の創出×地方創生（離島百貨店提供）

の活用支援です。地域内で複数の仕事に携わるマルチワーカーを受け入れ、担い手を確保する狙いですが、地域事業者とマルチワーカーのフォローの仕組みなど、持続可能な体制づくりができていない自治体がほとんどで、受け入れの土台づくりからサポートしています。同組合が全国に先立ち一番に認可される見通しの海士町は、既に約10年の時間をかけて持続可能な仕組みを構築しており、ノウハウを共有しながら、全体の底上げを目指しているのです。

もともと離島百貨店は、地域の人材育成を大きな柱の一つにしており、組合制度は良いきっかけでもありました。「例えば東京で10、20しか力が出せなかった人が、自分に合った働き方を見つけられる社会になったらいいし、そのお手伝いをしたい」と担当する離島百貨店の杉崎存紗さん（26）。杉崎さん自身も東京から隠岐の島町に移住し、島での仕事と暮らしを楽しんでいます。

この連載でも過去にマルチワーカーや離島キッチンを紹介してきました。その一つ一つがつながって「線」になり、さらに進化して「面」として広がっています。継続は力なり、をあらためて感じます。

［2020年11月28日掲載］

第3章のまとめコラム

過疎地をはじめとする人口が少ない地域は、言い換えればお金や人のいわゆるリソースが少ないことが前提となります。それでも物事に取り組みたい、進めたいと考えたときのキーワードとなるのが連携と役割分担です。

ただでさえプレーヤーが少ないのに、それぞれが個別に奮闘していても、大きな力にはなりにくいです。まずはつながり、そしてそれぞれの強み、弱みによって役割分担をしながら、カバーしあう。そうなれば1＋1が2以上になる相乗効果も生まれます。

第3章では、人と人はもちろん、人（学生）と地域、人とモノ（本）、地域の中の人と外の人、同業者や離島同士など、多様なつながりをつくる取り組みを紹介しました。しまね協力隊ネットワークや離島キッチン、離島百貨店の取り組みの進化をみることができますし、しまコトアカデミーと草刈り応援隊は地域の外にいる関係人口を地域の仲間としてつながることを目指した、関係人口の先駆的事例として知られています。

BOOK在月や島根本大賞、飲み会GO説やフリーランス、コメッコ共同体など新型コロナウイルスの影響もあり現在は活動休止や終わったものも含まれていますが、その活動は仮に終わったとしても、そこで生まれたつながりが生きていることを思えば、開催したこと自体に大きな意味があったと考えるべきでしょう。

第4章

地元で育てる

人材育成の重要性はいつの時代も言われてきましたが、人口減少時代でも当事者意識を持ち向き合う人が育っていけば地域は面白くなります。

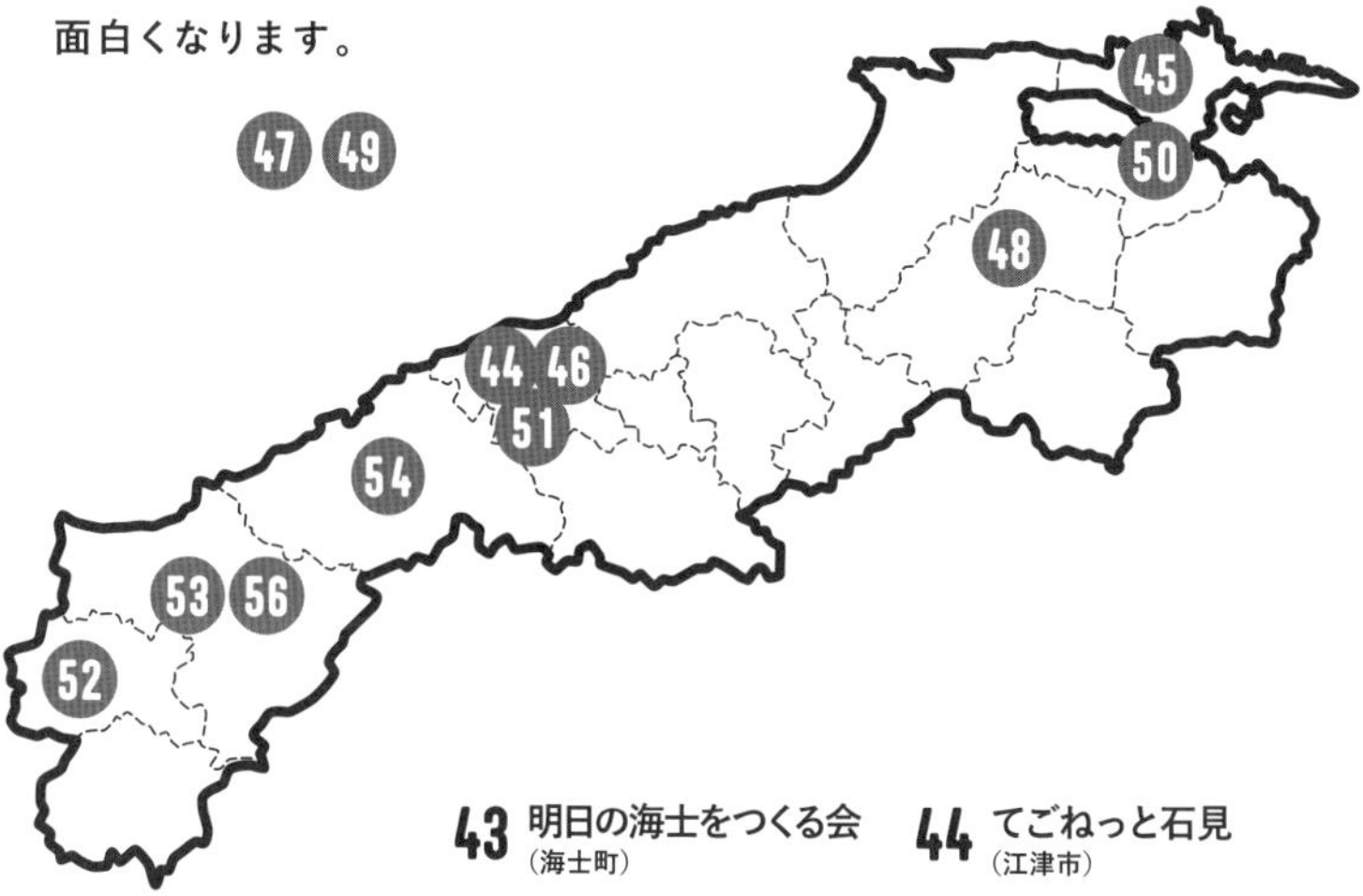

43 明日の海士をつくる会（海士町）

44 てごねっと石見（江津市）

45 ポリレンジャー（松江市）

46 江津市ビジネスプランコンテスト（江津市）

47 しまね卒業生カイギ

48 雲南創作市民演劇（雲南市）

49 島根人生EXPO

50 Cocoro Ribbon（松江市）

51 Meeting Point（江津市）

52 教育型下宿（津和野町）

53 益田市真砂地区（益田市）

54 mr.kanso浜田店（浜田市）

55 島前高卒業生フェスタ（海士町）

56 キヌヤ（益田市）

43

「自分事」として語り合う 明日の海士をつくる会

海士町

松江市の七類港からフェリーに乗り、揺られること3時間。島根県海士町にやってきました。海士町と言えば、県内でもいち早く改革に取り組み、離島というハンディがありながら、10年間で移住者が400人以上もいたり、廃校寸前だった高校を蘇えらせたり、イワガキなど新しいブランド産品を育てたり。昨年、安倍晋三首相の所信表明演説で、「地方創生」のトップランナーとして紹介されましたが、さらに一歩先ゆくプロジェクトがあるというのです。

施設の一室で待っていると、仕事着姿の20~40歳代の男女が次々と入ってきました。「明日の海士をつくる会」の皆さん。政府が地方創生に向け、全自治体に提出を求めている総合戦略をつくるための集まりです。

総合戦略は、他の市町村では「官製」が大半ですが、海士は官民の有志がつくります。「自分たちがつくりたい未来のまち」を目指して。その議論の中から、役場が必要な部分を吸収し、戦略を練り上げるのです。

なぜそんな手間がかかることを?「計画はゴールではなくてスタート。自分たちがどうしたいのかという〝自分事〟の計画でなけ

ワークショップ形式で地域の未来を熱く語り合う海士町の人たち＝4月10日、島根県海士町海士、隠岐開発総合センター

れば、実現に至りにくいと思います」。事務局の海士町役場の濱中香理さんは説明します。

委員を公募すると、自営業者、漁協や役場の職員、集落支援員ら19人が手を挙げました。この日取り組んだのは「ダイナミック未来思考プロセス」。目指したいまちの姿をワークショップ形式で話し合います。「海士の土台になっている〝アマリズム〟的なものを受け継いでくれる人が必要だよね」「チャレンジが次々と起こっていてほしいなあ」。おむすびとお茶を手に、ぐんぐん盛り上がっていきます。現実の延長線上ではなく、望ましい姿から考える。「バックキャスティング」という手法です。

終わったのは午後10時半過ぎ。1人が「面白かったー」と、しみじみとつぶやきました。20人近い大人が仕事終わりに3時間、地域の未来を真剣に語り合う。これが海士の力だとあらためて思いました。今後も月2回のペースで進みます。楽しみです！

［2015年4月24日掲載］

44 ビジネスプラン募り人材誘致 てごねっと石見

江津市

湯船の中でひらいめいたアイデアが、街を変えました。江津市役所の中川哉さん（50）は2009年、どんどん活気づいていく島根県海士町を研究し、その本質は「人が人を呼ぶ好循環」にあると気付きました。

誘致企業が撤退し、人口が減り続ける江津にも同じうねりを起こしたい。しかも、少しでも早く—。寝ても覚めてもそのことばかり考える日々。入浴時にふとひらめいたのが、新規ビジネスのアイデアを募り、直接的に人材を誘致するビジネスプランコンテストの開催でした。

小さくても地域に根付いて新しい事業を起こしてもらい、雇用をコツコツ増やしていく。これからは企業ではなく、人材の誘致だと思い定めたのです。

ただ、ビジコンは地方での開催は前例がなく、ノウハウもありません。創業支援に取り組む東京のNPOに押しかけ、アドバイスを求めました。返ってきた答えは「起業家のモチベーションが下がるのは仲間がいないこと。継続のためには支える組織や仕組みがないとダメですよ」。2010年、第1回のビジコンの優勝者を迎え入れ、NPO法人「てごねっと石見」を立ち上げました。

狙いは的中しました。5回のビ

てごねっと石見のスタッフと打ち合わせをする中川哉さん（右）＝江津市江津町、てごねっと石見

ジコンを開催した今、江津市や石見地域で10件の新規ビジネスが生まれ、波及効果もあってJR江津駅前の約20の空き店舗がお洒落《しゃれ》な飲食店などに変わりました。チャレンジ精神を持った人材がビジコンに応募、Uターンしてきて、新しくコトを起こす。好循環があります。てごねっと石見は、それを支える存在であり、また、受け皿としても機能しています。

　この春には、島根県が東京で開く地域づくり人材養成塾「しまコトアカデミー」の卒業生が、実践的に学びたいと、てごねっと石見に就職しました。

　一時期全国で流行ったビジコンですが、支える仕組みをつくることなく、立ち消えになったケースが多い中で、江津はよくぞ！と思います。しかも、安易に海士町を模倣したのではなく、自分の地域にあった方法を考えたからこそ、成果につながっているのでしょう。

　小柄でどこにそんなパワーが隠されているのか不思議になってしまう中川さん。「田舎だからこういう仕事は無理という先入観ではなく、何もないからこそ何でもできる。一人一人の力は大きい。江津へ行くと夢が実現できるということを発信したい」と目を輝かせます。

「2015年8月28日掲載」

45

若者よ　政治に参加しよう
ポリレンジャー

松江市

若者の政治参画。以前から課題として指摘されてきましたが、2016年夏の参院選から選挙権が18歳に引き下げられたことであらためてクローズアップされ、全国各地で取り組みが行われています。

島根では実は7年も前から若者の政治参加を考える活動をしている団体があります。島根大学の学生団体「ポリレンジャー〜若者の手で政治をよくし隊！〜」。09年、法文学部の毎熊浩一准教授を顧問に発足しました。有権者へのアンケート調査や松江市長のマニフェストの点検などを行い、2013年、活動が評価されて第8回マニフェスト大賞で市民部門最優秀賞を受賞しました。

現在のメンバーは10人。松江市の松徳学院高校で出前授業を行うと聞き10月末、取材に出掛けてきました。広い体育館に集まっていたのは高校2年生80人。冒頭、ポリレンジャーのメンバーが、政治になぜ参加しないといけないのか、投票の意味とは、などを解説。情報収集に使える便利なインターネットサイトも紹介し、自分で調べて考え、選ぶことが大切と訴えました。

続いて高校生とともに政治や政

高校生と議論するポリレンジャーのメンバー＝松江市上乃木1丁目、松徳学院高校

治家、今年の参院選、高校生の政治参加などのテーマで議論。想像以上に楽しそうな姿に私もびっくりしました。「高校生が盛り上がって話している姿を見るとやりがいがあります」とメンバーの島根大法文学部1年、福間太一さん(19)。松徳学院高校の佐々木茂教諭も「高校生にはやっぱり同じ世代の若者が呼びかける方が響きます。地元にこういう団体があってありがたいです」と手応えを感じている様子でした。

　印象的だったのは、ポリレンジャーのメンバーが繰り返し「自分で考えてほしい」と言っていたことでした。私も新聞記者時代から政治に関心を持っていましたが、有権者に聞くと「人に頼まれたから」という理由で投票している人もおり、もやもやもしていました。それは一種の〝思考停止〟なのではないかと。

　島根県は国政選挙の投票率が長らく全国1位でした。誇らしいことではありますが、投票率という数の面だけではなく、自ら考えて票を投じる人が多いという質の面でもナンバーワンになったらもっともっと素晴らしいと思います。

［2016年11月25日掲載］

46
自分の夢がかなうまち
江津市ビジネスプランコンテスト

「江津には応援してくれる人がたくさんいる」。18日に江津市であった「Go-con《ゴーコン》2016　江津市ビジネスプランコンテスト」。150人が詰めかけた熱気あふれる会場で、ビジコンの出場者はこう声をそろえました。

　創業人材の誘致を掲げて2010年に始まったビジコンは、今回で7回目。人気急上昇中の「パクチー」の特産品化で大賞を受賞した原田真宜さんは、神奈川から4ヶ月前にIターンしてきました。多くの地域の中から江津を選んだ理由を「(ビジネス的には)関東近郊の方が有利だが、地域の人のバックアップがあり、先輩と一緒になってできる。江津ほど面白いところはない」。

　来場者の投票で決まる会場賞を受賞した江津市出身の徳田恵子さん、佐々木香織さんのプランは「一杯のコーヒーでつなぐ『まち』と『ひと』〜帰ってきたい町、江津」。いつか地元でカフェを開きたいと夢を語り合っていた2人は江津高校卒業後、コーヒーチェーンなどで働いていましたが、新しいイベントの開催やJR江津駅前の空き店舗がどんどん埋まるといったまちの変化を感じて「自分たちも一緒に参加して盛り上げた

人をつなげる仕掛けとして考案したカードを手に笑顔を見せる佐々木香織さん（左）と徳田恵子さん＝同市江津町、パレットごうつ

い」と今春Uターンしました。

　地元のカフェで修行しながら応援や出店の声掛けを多くもらい「やっぱりここならできる！」という確信が膨らんでいったそうです。そして、この日のビジコンで「きっかけをもらって帰ってきた私たちが今度は若者と江津の人をつなげていきたい」と発表。駅前でのカフェ開業へ動き出す予定です。

　彼女たちのプレゼンを聞きながら、私も心が揺さぶられて思わず涙がこぼれました。ビジコンが目指していた「人が人を呼ぶ好循環」が確かなものになっていました。チャレンジ精神を持った人材がビジコンに応募し、すでに10人以上がUIターンして創業。それを見た人がまた新しくUIターンしてきます。

　移住者を呼び込みたい地域は多いですが、中には「地域のために尽くせ」といわんばかりのスタンスであるケースも見かけます。それよりも何かしたいという人を応援し、その夢をかなえる地域であれば、人は自然と集まってくる。それこそが、これから目指すべき地域の在り方ではないでしょうか。

［2016年12月23日掲載］

47 古里とつながり続ける場に しまね卒業生カイギ

島根県内で生まれ育った子どもたちも、高校卒業後、県外の大学に進学すると、とたんに地元との距離が遠くなってしまうのが現状です。それをなんとか紡ぎ直すことができないか—。そんな新しいチャレンジが、島根で始まりました。「しまね卒業生カイギ」です。

その合宿が昨年末、出雲市内で開かれました。参加したのは、隠岐島前高校や横田高校など県内の高校を卒業した大学生13人と、県内で働く社会人10人。グループに分かれて島根の魅力や課題を議論した上で、これから自分自身が取り組む、島根に関わるプロジェクトを決めるという1泊2日の合宿です。

合宿を通じて七つのプロジェクトが生まれました。例えば、県の出身者が集まる拠点「しまねハウス」を東京につくるというプロジェクト。そこでイベントをしたり、就職活動で悩む県出身の学生が県出身の社会人に相談してアドバイスをもらったりする場にしたいという狙いがあります。実際、東京ではあまり出身者同士が集まる機会がありません。島根とつながり続けることができる、面白いプロジェクトだとワクワクしました。

プロジェクトを発表する参加者＝出雲市小境町、島根県立青少年の家

そのほかにも県内の高校の生徒会をつなげる企画や、廃校を使ったイベントの開催といったプロジェクトがありました。共通していたのは、自分の興味関心と島根の課題をつなげて、その二つが重なる部分をプロジェクト化していたことです。参加者の思いと熱気があふれる合宿となりました。

同カイギは、離島や中山間地域の高校の魅力化を進める県内8町村が将来のUIターンにつなげる狙いで予算化し、雲南市に事務所があるNPO法人カタリバ（東京都）に事業を委託しています。中心的に企画運営するのが、東京からUターンしたカタリバの森山裕介さん（26）。森山さんは自分の経験も踏まえて「大学進学後も島根を感じ、島根と関わり続ける機会をつくりたかった。それぞれの島根への想いを形にしていく経験が将来的なUターンのきっかけにもなりうる」と話します。

確かに卒業生カイギのような取り組みがあれば、高校時代には見えなかった地元の魅力もきっと見えてきますよね。これからの活動に注目したいと思います。

［2017年1月27日掲載］

48 まちづくりは人づくり 雲南創作市民演劇

雲南市

脚本、演出、出演、制作まで、すべて市民が手作り。5年間で延べ7千人もの観客を動員したのが、雲南市の創作市民演劇です。

同市ではチェリヴァホール開館後、時間の経過とともに演劇を目にする機会が減っていました。同ホールの関係者や市民らが再び「演劇のまづくり」を目指したいと実行委員会を立ち上げ、2012年、高校演劇で全国的に注目されていた亀尾佳宏教諭（43）に脚本と演出を依頼。出雲神話をテーマにした「異伝ヤマタノオロチ」を制作・上演し、一般公募という今のスタイルでプロジェクトが本格始動しました。

その後も毎年内容を変えながら上演を続け、5年目となる今年は、観客アンケートで「もう1回見たい作品」1位となった異伝ヤマタノオロチを再演することにしたのです。ただ、再演と言っても、初演時と同じではありません。

一つは、参加者の広がり。初演で30人だった出演者を50人に増やし、制作スタッフも入れると総勢80人、過去最大になりました。5歳から70歳代と年齢の幅も広く、地元を中心に山陰両県内から参加者が集まりました。

何より、初演では公募で参加し

異伝ヤマタノオロチの1シーン＝雲南市木次町、チェリヴァホール

た西藤将人さん（33）が、雲南市を拠点に「劇団ハタチ族」を立ち上げ、今回はプロの役者として特別出演。主役には3年前から市民劇に参加する地元の高校生、堀江優純菜さん（18）が抜擢《ばってき》されました。男性役を女性が務めるのは珍しいですが、今回も脚本、演出を手掛ける亀尾さんは「大きく成長した」と太鼓判を押します。人材が育っているのです。

内容も日本遺産に認定された「出雲國たたら風土記」を記念し、鉄やたたらを取り入れるなどリニューアル、「豊かさ」を問う作品になっています。

亀尾さんは「演劇は都会の文化だと思っていたが、地方には地方のやり方がある。人がつながる面白さがある」と話せば、堀江さんも「やっていて本当に楽しい。演劇に関心を持つ人も確実に増えました」と笑顔を見せます。

3月18、19日に行われた公演本番は、チェリヴァホールの大ホール465席が満員の人で埋め尽くされました。舞台からほとばしる1人ひとりのエネルギーを感じながら、市民が参加してまちも人も育っていく、まちづくりのいいお手本の一つだと実感しました。

［2017年3月24日掲載］

49 多様な働き方に出会おう 島根人生EXPO

「島根って、仕事がないですよね？」。よく耳にしてきました。本当にそうなのでしょうか。「いや、そんなことはない！」と立ち上がったのが、松江市出身のある大学生です。

法政大2年の野津直生さん(19)＝東京都八王子市。そのために企画したのが「島根人生ＥＸＰＯ」というイベント。島根で生きる大人をゲストに迎え、ＥＸＰＯ＝博覧会のように多様な人生を見てもらおうという狙いです。

当日の8月11日、会場の興雲閣(松江市殿町)には、島根出身や在住の大学生、若手社会人など約50人が集まりました。ゲストは食品メーカーの社長や、まちづくり会社の代表、教育魅力化に取り組む公務員など8人です。

参加者は、ゲストが一人ずつ座るテーブルに足を運び、「なぜ島根で働くことを選んだのか」「地方で生きることの魅力は？」「島根は生き残れますか？」などと直接質問しながら、対話を重ねていきました。

「愛着があるのに島根でのキャリアがイメージできず、地元で働くことを諦めてしまう友人も多い。それはもったいないので、島根にいる面白い大人の人生を聞こうと

参加者の話に耳を傾ける野津直生さん＝松江市殿町、興雲閣

思った」と企画した意図を話す野津さん。参加者からは「島根で働くイメージが湧いた」「生き生きと働いている姿に揺さぶられた」といった感想が寄せられ、「開催して良かった」と手応えを感じています。

　冒頭の「島根には仕事がないのか」問題ですが、例えば、ふるさと島根定住財団のインターネットサイト「くらしまねっと」に登録されているのは、14業種３２３４企業の５１９５求人。仕事がないわけではなく、知る機会がないだけだと言えるのではないでしょうか。ないならその機会をつくろうと立ち上がった野津さんに共感し実は私もゲストの一人として参加しました。

　もう一つ興味深かったのが、島根人生ＥＸＰＯは野津さん一人の力ではなく、県教育委員会の事業「ルーツ島根」の一環として実現したということです。ルーツ島根は、過去にこの連載でも紹介した高校卒業後も島根と関わり続ける「しまね卒業生カイギ」が発展した取り組み。思いを持った若い人材が有機的につながり、どんどん進化している様子をリアルに感じることができ、これからもっと島根が面白くなる予感がします。

［２０１７年8月18日掲載］

50

皆が幸せに働く社会に
Cocoro Ribbon

松江市

「女性活躍推進」という言葉を聞いたことがあるかもしれません。しかし、まだまだ女性が働く環境が整っていないのが現状。島根県の2014年度の意識調査で、6割の女性が結婚、出産を機に退職した経験があると答えています。

　こんな現状に問題意識を持って起業したのが、Cocoro《ココロ》 Ribbon《リボン》（松江市下東川津町）の大川真美さん。社員は6人。30代から40代まで子育て中のお母さんばかりで、松江市内の企業の事務代行や業務改善のサポートを行っています。

　これまで手掛けたのは15社。「自分自身も過去には長時間働いていたときもありましたが、時間の長さではなく、自分らしく能力を生かせる職場をつくりたい」と大川さんは話します。どんな工夫をしているのでしょうか。

　まず一つが、チーム化。常に仕事は3人一組のチームで取り組むようにしています。チームにすることで、自分一人で背負うことなく、交代しながら仕事を終えることができます。そして、子どもと一緒の出勤もOK。一度辞めても復職することができる「カムバック制度」も設けています。

　社員の一人、松本由佳さんは

Cocoro Ribbonの社員。子ども連れもOKだ＝松江市下東川津町

「自分の都合で帰ったり休んだりするとき、昔は『すみません』でしたが、今はお互いさまという感じで『ありがとう』になりました。働きやすい会社です」と笑顔です。

同社の実践をさらに広げようと、これから力を入れて取り組むのが「プチママワーカー」事業です。仕事から離れていても将来的に社会復帰したいと考えている女性を対象に、本人が納得して働けるように後押しする講座「らしさ見つけ塾」を開催、そして、プチママワーカーの求人情報を出すのと同時に、実際に入った後にも定着できるようにサポートします。

大川さんは保育士やリスクコンサルタントを経て、2年前に起業しました。3人の子どもの母親でもあります。「現在はママ向けに特化していますが、将来的には子ども向けの事業も取り組みたいです。目指しているのは、ママだけでなく働く大人全体が幸せになってほしいし、働くって面白いと思ってほしい」。

冒頭の言葉と並んで「働き方改革」が注目されていますが、生き生きと働く社員や大川さんに触れ、女性が働きやすい環境は、男性も含めて皆が働きやすい環境なのだと、あらためて感じました。

［2017年9月22日掲載］

51 福祉の魅力を若者が発信 Meeting Point

「3K（きつい、汚い、危険）」と言われることもある介護福祉職。「そんなことはない！」と現場の若い世代が立ち上がりました。9月中旬、出雲市内で開かれた、介護福祉の魅力を発信する「若気の至り福祉大発表会」です。

　主催したのは、2011年に県内の介護福祉関係の有志8人で立ち上げた団体「Meeting《ミーティング》 Point《ポイント》」。当初は、定期的に飲みながら職場での悩みを共有し、励まし合っていましたが、そのうちに「自分たちだけじゃなく社会に出て外に向けて発信しよう」と一致しました。

「若くて青臭いかもしれないけど、思い切ってやっちゃろうと思ったんです」と同団体の和田往大代表(33)。そこで「若気の至り」というイベントタイトルが決まり、14年に初めて開催しました。

　3回目となる今回は、県内外から8組が登壇。「人の良いところを見つけ、もっと良くしていくのが介護の仕事」「まだまだ未開拓で、これという正解はない。福祉の未来を自分たちがつくっていくと思うと、ワクワクが止まらない」「利用者に感謝される喜びがあり、その人の笑顔がやりがい」。熱い発表に、詰めかけた140人

若気の至り福祉大発表会で介護福祉職の魅力を語る発表者＝出雲市駅南町、ビッグハート出雲

からは大きな拍手が起こり、涙をぬぐっている人もいました。

団体のメンバーもどんどん増えて30人となりましたが、和田代表は「汚いとか、優しいからできるとか、誰でもできる仕事だよねとか言われることがあるんです」と、世間での見られ方と現場との間にギャップがあると明かします。「本当は誰でもできる仕事じゃないし、魅力ある仕事なのに、誇りを持って入った人も誇りが育たない。活動していく中で、福祉介護職の魅力と誇りが伝わり、広がってほしい」。介護福祉職が「憧れの職業ランキング」の10位以内に選ばれるようになることが目標の一つだそうです。

取材をしながら考えさせられました。やりがいのない仕事なんて存在しないし、介護福祉職もその職ならではの魅力がある。むしろ勝手なイメージを押しつけているのは、外野の私たちなのではないか。そして、若気の至りと言いながら、そんな世間の空気に逆らって声を上げるというのは勇気が必要だったと思います。でもだからこそ、その勇気が共感を広げ、少しずつでも現場と社会を変えていく。そんなうねりが島根から始まっているような気がしました。

［2017年10月27日掲載］

52 旅館の空室を県外生に活用 教育型下宿

津和野町

旅館の空室が高校生の下宿になる—。全国的にも珍しい取り組みが、石見地域の代表的な観光地・島根県津和野町で始まっています。

同町は、２０１５年県の観光動態調査によると、年間１２０万人の観光客が訪れていますが、日帰り客が主体で、宿泊は約４万人。宿泊者率は３％に止まっています。さらに、町の人口減少や高齢化が進む中、旅館業を営む人も減少傾向にあり、あまり使わない施設や部屋も生まれていました。

目を付けたのが、Iターンしてきた若者でつくる同町のNPO法人bootopia《ブートピア》。同町にある県立津和野高校では、高校魅力化プロジェクトの一環で、県外の中学校から進学する生徒を受け入れています。18年度の県外生は61人、全校生徒の３分の１。寮も整備されているものの、もう一つの選択肢として、旅館の空室を使って生徒が地域に暮らしながら学び合う新しい形の下宿ができれば、双方にとってウィンウィンではないかと考えたのです。

「駅前ビジネスホテルつわの」に依頼し、長期滞在用で近年あまり使っていなかった部屋を17年度から借りました。「津和野高校OBとして力になりたかったし、使っ

登校する下宿生を見送る瀬下翔太さん（右）＝島根県津和野町後田

てもらえるのはうれしい」と横山聡平社長。

現在は6人の生徒が入居しています。私が取材に訪れた日の夕食は、ｂｏｏｔｏｐｉａのスタッフや町の地域おこし協力隊など大人7人と下宿生が一緒に食卓を囲みました。下宿生の1人、東京都町田市出身の同校3年、北圭人さん(17)は「みんな家族みたい。せっかく県外から来て、できるだけ地域の人と交流したいのでこういう場はありがたい」と笑顔。

他の下宿生も、川に入ってスッポンをつかまえたり、農家に出掛けて作業の手伝いをしたりと地域暮らしを満喫している様子で「勉強だけではない学びがある。充実していて楽しい」と口をそろえていました。

ｂｏｏｔｏｐｉａ代表の瀬下翔太さん(27)は「津和野だからできること。生徒だけではなく、地域の人も学べるような仕掛けをしていきたい」と話します。

旅館の空室も見方を変えれば使える資源です。地域の資源を生かして新しい学びの場をつくる。これからの地域に必要なエッセンスが詰まっていると感じました。今後の展開が楽しみです。

［2018年5月25日掲載］

53

地域内の“よそ者”で活性化 益田市真砂地区

益田市

5月下旬の夜、益田市真砂《まさご》地区のある建物が、居酒屋になりました。居酒屋のない同地区でもアルコールとおいしい食事を楽しもうという住民発、月1回の企画「いちにち居酒屋」です。

JAの建物の一部を改修して2017年度にオープンした「ひら山のふもとのカフェ　tele《てれえ》-glue《ぐれえ》」。Uターンしてきた男性が腕を振るった料理が大きな木のテーブルに並びます。いつの間にか10人以上が集まり、いろんな世代が一つの食卓を囲む様子はまるで大家族のよう。夫と子ども2人と一緒に参加した同地区の村岡宙《ひろし》さん（35）は「ここに来ると普段話せないいろんな世代の人と話せます。子どもたちも喜んでいます」と笑顔です。

人口379人（2018年1月末現在）の同地区は、過疎高齢化に直面してきたある意味典型的な集落ですが、地域自治組織「ときめきの里　真砂」（大庭完会長）を中心とした地域再生で成果を上げているとして、総務省の14年度「過疎地域自立活性化優良事例表彰」で総務大臣賞に選ばれました。

中でも私が関心を寄せていたのが、真砂保育園の里山保育です。地域全体を園庭、住民全員が保育士と位置付け、住民誰でも保育園におじゃまして一緒に給食を食べ

食卓を囲んで交流する住民たち
＝益田市真砂地区

ることができます。逆に園児が住民の自宅に出掛けたり、外で一緒に羽釜でご飯を炊いたりすることも。園児が地域をフィールドに学べることはもちろん、住民も園児と触れあうことで元気になるそうです。

　最近、移住者など「よそ者」の力を生かして住民が元気になり、地域を再生させた事例が報告されています。私もよそ者の力に着目してきましたが、人口減少時代、各地で移住者の奪い合いが起こり、閉塞《へいそく》感が漂っているようにも感じます。そんな中、真砂の取り組みにヒントを見つけました。

　地域外からの移住者だけでなく世代が違う人もよそ者ととらえていいのではないか。無理に地域外のよそ者を頼って奪い合わなくても、地域内のよそ者、つまり異世代交流をすることで、よそ者が持つ力を生かしてみんなが元気になることができるのではないか、ということです。

　ｔｅｌｅ－ｇｌｕｅを「多世代交流の拠点にして地域に関わる人を増やしていきたい」と大庭会長。居酒屋以外の仕掛けも進めています。新しい可能性を秘めた最先端の実験場として、注目していきたいと思います。

［２０１８年６月29日掲載］

54

学生がつくる地域の居場所 mr.kanso浜田店

　学生起業家が運営する人気の缶詰バーが、浜田市の紺屋町商店街の一角にあります。「mr.《ミスター》kanso《カンソ》浜田店」。オーナーは、島根県立大4年の松永稜太朗さん(22)。地元産を含めた100種類の缶詰をそろえ、地域の人たちの居場所として存在感を発揮しています。

　大阪市出身の松永さんは、母親の松永桂子大阪市立大准教授が県立大に赴任していた縁で、小学校5年から中学3年まで浜田市で過ごしました。自然があふれ、顔の見える関係ができていたことから愛着を感じるようになり、進学先として県立大を選択。しかし、入学してみると、学生が思ったほど地域に入り込んでいないように感じました。

　何か自分で行動を起こしたいと模索していたとき、缶詰が浜田の歴史的産業だったことを知ります。そこで、地域資源を使った学生のプランを発表するコンテスト「MAKE DREAM」に缶詰バーのプランを応募。会場から選ばれる共感大賞を受賞し、大阪市に本部がある缶詰バーチェーンの浜田支店として2017年7月、オープンしました。初期投資に必要なお金は、市の補助金や自分で貯め

「mr.kanso浜田店」を運営する
松永稜太朗さん＝浜田市紺屋町

てきたお年玉、両親からの借り入れを当てました。

　缶詰は仕込みが不要で、保存できてロスが少ないといったメリットがあり、経営は安定しています。何より予想外だったのは、常連客が毎日のように訪れること。「この前も午前2時までここで学生とおばちゃんが花札をしていたんですよ。全国でもそんな飲食店はないんじゃないですかね」と笑います。

　4月からは広島大の大学院に進学し、海外留学を予定。離れながらバーを運営することも検討しましたが、2年となる今年の7月で区切りを付け、閉じることにしました。「やってよかったし、さらに浜田への愛着が高まりました。将来は浜田に還元したいです」。事業ノウハウや経理、接客などを総合的に学ぶことができ、自身の成長も感じるそうです。

　現在、この場所で新しくチャレンジする学生を募集中です。閉店を惜しむ声もありますが、いつまでも松永さんが続けることだけが唯一の正解ではないと思います。この場所を起点に、若い世代の挑戦の連鎖が生まれていく。そういう形でバトンがつながれば、地域の財産になっていくはずです。

［2019年3月29日掲載］

55

帰るきっかけに「火の集い」島前高校卒業生フェスタ

海士町

「ただいま」「おかえり」。お盆過ぎの8月17日、島前地域唯一の高校である県立隠岐島前高校では、こんな光景が繰り広げられていました。「おかえり」と声をかけられていたのは、同校の卒業生たち。初めてとなる「島前高卒業生フェスティバル 火の集い」が行われていたのです。

企画した一人が、卒業生で今春Uターンした青山達哉さん(23)。同校では、全国に先駆けて学校魅力化に取り組んだ2008年度以降の卒業生が400人以上になります。中には島外から進学し、3年間を過ごした生徒もいますが、青山さんの耳には「定期的に帰りたいのになかなか帰るきっかけがなく、島前地域との関係が薄れていっている気がする」という声が聞こえていました。さらに1955年の開校からさかのぼれば、膨大な数の卒業生を送り出しています。そうした人たちが帰るきっかけをつくろう、と立ち上がったのです。

見渡してみると、青山さん以外にも同級生が何人もUターンしており、ほかにも地域で働いている同世代も少なくありません。一緒に実行委員会(10人)を立ち上げ、企画を詰めました。もともと火の

ワークショップで島前とのつながりを考える参加者＝海士町福井、隠岐島前高

集いは、同校開校以来、学園祭で最後に必ず行われてきた伝統イベント。誰でも気軽に参加しやすいものにしたいと、共通体験である火の集いを再現することにしました。

当初は海岸での開催を考えていましたが、教員がグラウンドや校舎の使用を快諾。当日、日中は教室で島前地域のつながりを考えるワークショップがあり、いよいよ夕方からグラウンドで火の集いが始まりました。卒業したての18歳から60歳代まで幅広い年代の20数人と魅力化に関わる社会人スタッフが顔をそろえ、このためにわざわざ帰ってきた卒業生も。全員で大きな火を囲み、小さなトーチによる火のリレーも行われました。青山さんは「思い描いていた光景がそこにありました」と笑顔を見せます。

私自身、青山さんたちの世代を高校や大学時代から取材してきましたので、彼・彼女たちが成長し、島前地域を担う人材になりつつある姿を見て、胸がいっぱいになりました。今年は試行で「第0回」だった火の集い。第1回は来年8月8日、よりバージョンアップして開かれるそうです。早くも新しい実行委員会が立ち上がったとか。どんな会になるのか、お楽しみに。

［2019年8月30日掲載］

56 LB強化　地元生産者と共存 キヌヤ

益田市

「おいしさは地元にあり」。スーパーマーケット・キヌヤ本店（益田市）入り口すぐの「地のもん広場」には地元の野菜や果物が、そのほかの棚にも地元のしょうゆやお茶、パンがずらりと並びます。ローカルブランド（LB）です。

1951年、呉服屋として創業。その後、食品販売に乗り出し、現在は島根、山口、広島の3県で24店舗を展開、年商125億円の企業です。

一般的なスーパーでは、全国規模のメーカーによるナショナル・ブランド（NB）、小売業者が開発するプライベート・ブランド（PB）の2種類を主に取り扱っています。他店との競争が激しくなる中、「第3の道」を探して社員が議論を重ね、浮かび上がったのがLBでした。競合が少ないという利点に着目したのです。「やっぱり地元のものを売らんといけんじゃないか」。調べてみると当時、売り上げに占めるLBの比率は8％。それを20％に上げることを掲げて2010年、取引先とLBクラブを立ち上げました。

達成に向けて欠かせないのが商品力を磨くことです。取引先と一緒に原価を計算して内容量を変えたり、県外だった原材料の仕入れ先を紹介して県内に変更したり。地元の牧場と生乳会社による「メ

野菜を出荷しに来た農家と話すキヌヤの社員＝益田市常盤町、キヌヤ本店

イプル牛乳」といった人気商品も生まれました。ときには、病気で収穫が難しいという農家のキャベツを社員が収穫して販売したこともありました。

「ここまでできない」と視察に訪れてみて、口にする企業も多いそうです。「でも、これがうちの強みじゃろうと思う」と領家康元社長。大型量販店が近くに進出した際、実は倒産まで覚悟しましたが、「ここには地元のものがあるから」とお客さんが戻ってきました。

　現在、LBクラブの会員は839、比率は18・3％となり、目標まであと一歩のところまで来ました。目指すのは、地域の若い生産者が「キヌヤと付き合っていたら生活ができる」という状況。LBは、自社の競争力強化だけでなく、地域経済循環を後押しし、持続可能な地域づくりにつながっていることに気付きました。「これまで通りを続けていたら生産者はゼロになるかもしれない。まだまだ道半ばで壮大だが、使命感を持ってやっていきたい」。

　手間を惜しまず、地域とともに育ち合う――。キヌヤのあり方は、地元にあってほしい企業の一つのお手本ではないでしょうか。

［2020年8月28日掲載］

第4章のまとめコラム

「外で大きく育って将来、帰ってきてくれたらいい」。こう話す行政担当者に、思わず声を荒げて反論したことがあります。「中で育つ仕組みをもっと整える努力をしていくのも、ここで暮らす私たち大人の責任ではないのか」と。もちろん県外で活躍することやさまざまな経験をすることを否定しているわけではけっしてありません。ただ、それと同じくらい、県内で育つ仕組みや環境も選択肢としてあっていいと考えています。

実際、価値観が多様化する若い世代には、地元で暮らしながら成長していきたい、進学先は県外でも島根の人たちと関わりながら学びたいと望む声が少なくありません。県内でも県外でも島根に関わる人が育つ仕組みが必要です。

第4章では、学校教育にとどまらず、地域づくり人材や起業人材、県外学生など多様な人が育つことにつながる取り組みを紹介しています。共通しているのは、年長者が一方的に若い世代を育てるという姿勢ではなく、ともに学び合い、育ち合うという姿勢です。明日の海士をつくる会や、教育型下宿、mr．kansoなど今は活動を終えたものもありますが、活動によって育った人たちが確実に存在しています。

特にこれからの人口減少時代を考えれば、全国で人材の奪い合いが起こってしまう可能性も、残念ですが否定できません。県内でも人が育つ仕組みをしっかりつくっていく視点は欠かせないように思います。

第5章

みんなが安心

いわゆる社会的弱者やマイノリティが安心して暮らしやすい地域は、誰もが安心して暮らしやすい地域。

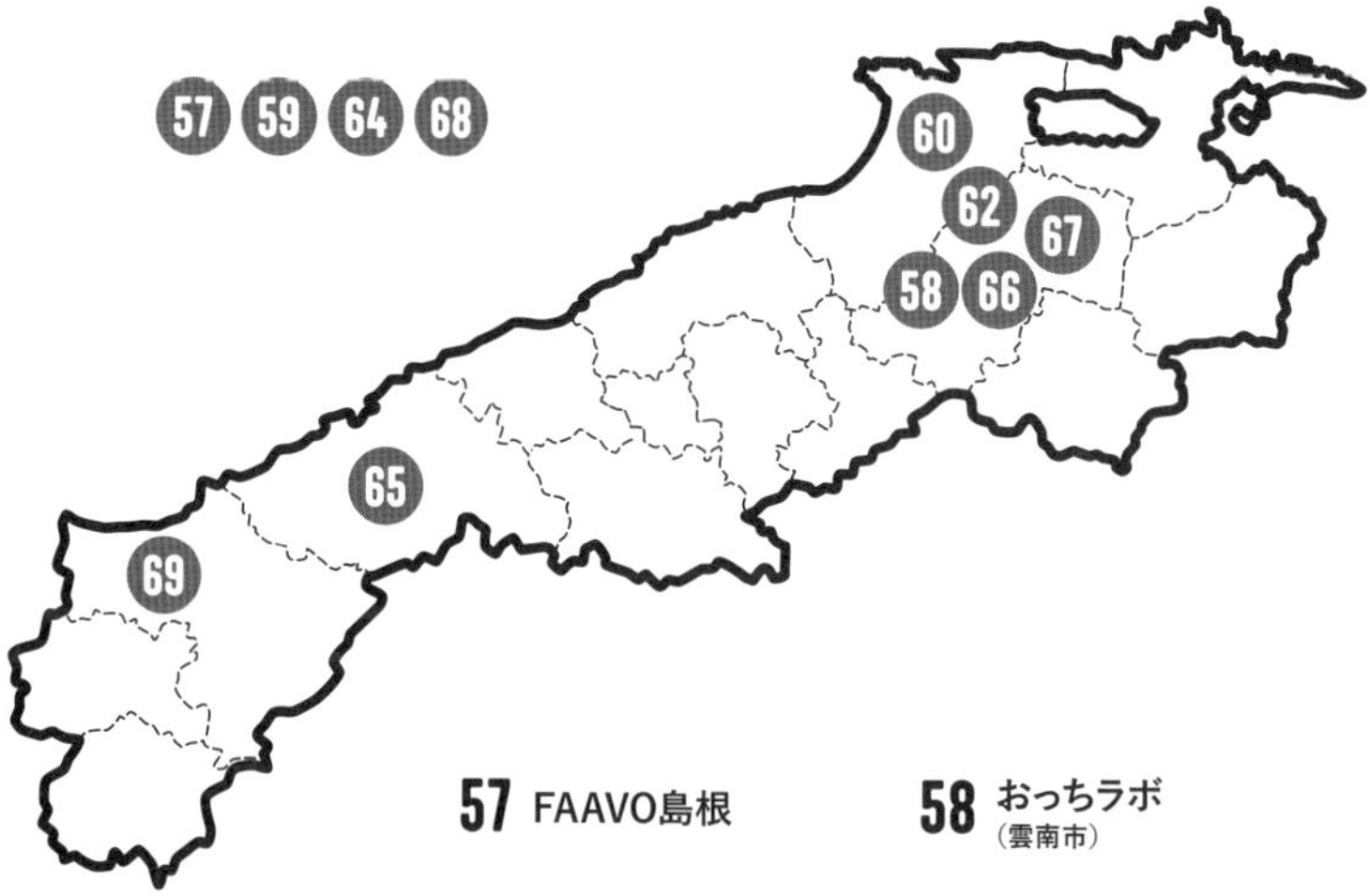

57 FAAVO島根

58 おっちラボ
（雲南市）

59 スクールMARIKO

60 NPO法人エスペランサ
（出雲市）

61 西ノ島町
コミュニティ図書館
（西ノ島町）

62 3・11雲南・出雲
to TOHOKU
（雲南市・出雲市）

63 知夫村図書館
（知夫村）

64 きっかけ食堂@島根

65 アトリエ スノイロ
（浜田市）

66 防災グループ UNIT
（雲南市）

67 雲南市民バス
（雲南市）

68 飲食店応援
キャンペーン

69 空水土 coupmead
（益田市）

57 面白い地域づくりにもFAAVO島根

何かプロジェクトをしたいけど、資金がない…。そう思ったことはありませんか？　以前なら、行政の補助金か直接寄付を募るという選択肢しかなかったかもしれませんが、今はインターネットを使って広く資金を集める「クラウドファンディング」という仕組みがあり、特に島根ではその一つ「FAAVO《ファーボ》島根」が大きく広がっています。

仕組みを説明します。例えば新しい特産品を開発したいと考え、20万円が必要だとします。FAAVO島根というインターネットのサイト上で、プロジェクトと目標額を示して支援を募ると、共感した人がそのサイトを通じて支援をしてくれるのです。一口3千～1万円くらいの小口が中心。クレジットカードがあれば誰でも支援可能です。支援した人には何らかのお返しが届きます。

FAAVO島根では、これまで16件のプロジェクトが目標額を上回る資金を集め、成功しました。運営しているサーチフィールド（東京）は、島根だけではなく、他県でも展開しているのですが、島根でのプロジェクト達成率は100％で、すべて成功させているのが特徴です。それは、県が

FAAVO島根を使った主なプロジェクト

プロジェクト	目標額	達成額	支援者
美郷町の珍しい果物ポポーの特産品化	25万円	30万円	66人
石見神楽東京社中の神楽幕制作	25万円	30万円	46人
都市と地方をつなぐ冊子「女子百花」作成	30万円	38万円	69人
隠岐で古民家を再生したゲストハウス建設	50万円	53.8万円	62人
山陰で活躍するミュージシャンを応援	60万円	120.5万円	158人
東京で島根の食の魅力を伝えるフェア開催	30万円	45.7万円	82人

FAAVO島根のウェブサイト

アドバイザー制度をつくり、プロジェクトを立ち上げた人に派遣して内容やPR方法を助言してサポートしているからです。

　実は私もFAAVO島根でプロジェクトをしたことがありますし、現在はアドバイザーを務めています。東京で島根の食のフェアを開催したり、東日本大震災を自分事として考えてもらうために島根から石巻にバスを走らせたりと、多様なプロジェクトがあります。もちろん達成するまでは苦労もありますが、情熱を持った人が勇気を出してチャレンジし、実際に花開くのを見ていると、とてもいい仕組みだなと感じます。一人一人の夢や思いが実現できることが増えれば、結果的に面白い地域づくりにもつながります。

　財政難で「狭き門」となり、使い道も限られていた行政の補助金に比べて、クラウドファンディングでの資金は共感さえ得られれば自由度が高いのが良い点です。何か挑戦してみたい！という人がおられましたら、ぜひ活用を検討してみてください。また島根を応援したいという人はFAAVO島根のサイトをのぞいてみてください。その一歩から何かが始まるかもしれません。

［2016年2月26日掲載］

58

地域ぐるみで健康づくり おっちラボ

雲南市

健康で暮らし、望む場所で死にたい。当たり前なのに実現が難しいこの課題に挑んでいるのが、雲南市のNPO法人「おっちラボ」です。地域で新しい行動を起こす「ローカルチャレンジャー」を育て、その小さなチャレンジの積み重ねが成果を出し始めています。

おっちラボの代表は、父親の希望をかなえるみとりができなかったことから、大学に入り直して看護師の資格を取った矢田明子さん。2013年、雲南市が始めた人材育成塾「幸雲南塾」の1期生として仲間とおっちラボを立ち上げました。

6割の人が自宅で亡くなることを希望しながら実際は約1割にとどまるという全国データがあります。在宅医療のニーズは高いものの、雲南でも訪問看護ステーションが撤退してなくなるなど厳しい現実がありました。

矢田さんはまず医療見学ツアーを仕掛けます。地域医療に関心のある医療関係者や学生を県外から呼び、地域医療の現場を見るほかに住民と交流したり、農作業を体験したりします。これまでに延べ200人が参加し、医師、看護師、保健師、薬剤師、音楽療法士など14人が雲南で働くことにつながり

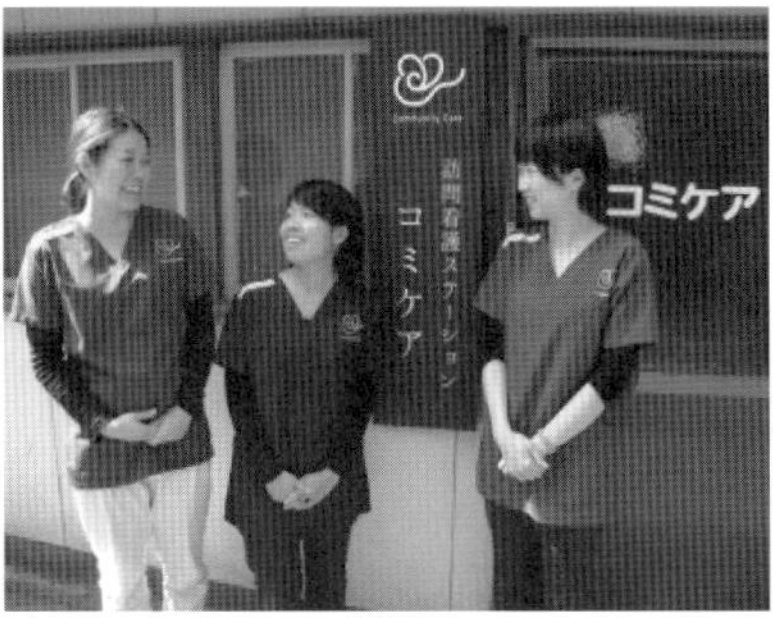

「コミケア」の3人。仕事にやりがいを感じると笑顔で話す＝雲南市三刀屋町

ました。

その流れで神奈川県などから看護師3人がIーターンし、幸雲南塾の塾生として実践を積みながら、訪問看護ステーション「コミケア」を立ち上げました。すでに50人以上が病院から戻って自宅で過ごせています。半年で黒字化を達成し、スタッフは7人に増える見通しです。

さらに雲南では住民自ら地域を運営する「地域自主組織」が30あり、その地域自主組織と連携して気軽に健康について相談できる場をつくる試みも進めています。定期的に産直市や交流会を開く地区も。闘病中にコミケアのサポートを受けて交流会に参加し、友人知人に温かく迎えられた後、住み慣れた土地で亡くなったケースもあるそうです。これまでの「自宅には亡くなってから連れて帰られる」という「常識」が変わりつつあります。

今後は「地元の人が担い手として育つ仕組みを整えたい」と矢田さん。総合診療医の育成プログラム開発も予定しており、視察に訪れる自治体も増えています。雲南から新しい地域医療のモデルが生まれる予感がします。

［2016年3月25日掲載］

59

賛否を超えて社会課題を学ぶ　スクールMARIKO

東日本大震災と福島第一原発事故から今年で7年目。時間がたつにつれて報道が少なくなる一方、原発問題については賛否が固定化し、より触れにくい話題になっていると言えるかもしれません。

そんな中、松江市では5年前から福島と原発を考える連続講座が開かれています。「スクールＭＡＲＩＫＯ」。主宰しているのは、松江市在住のミュージシャン、浜田真理子さん。オリジナルアルバムを発表し、全国各地でライブを行っているほか、映画音楽やＣＭソングを手掛け、小泉今日子さんとも共演するなど、幅広い活動で知られる実力派のミュージシャンです。

浜田さんは震災後、自分に何ができるかじっと考えました。そこでふと地元にも原発があることに気付いたのです。しかし、賛成、反対をするための会はあっても、フラットな立場で原発について学び、一緒に議論をして考えることができる場はないように感じました。ないならつくろうか――。

しかし、政治色も強い原発をテーマにすることで、本業への影響を心配して忠告する声も聞こえてきました。それでも自分自身が学びたいという思いは変わりませ

今年初回のスクールMARIKO。被災地支援を精力的に行うミュージシャンのおおたか静流さんが登場した＝松江市白潟本町

んでした。何より、全国で唯一、県庁所在地に原発がある松江で「自分事として考える人が増えてほしいし、そのための場がほしい」。

ちょうど友人であり、県内で活動するラジオパーソナリティー小片悦子さんが、竹島問題で日韓関係が悪化する中で韓国への理解を深める活動を続け、いわれなき批判も受けていました。浜田さんは「私は原発と向き合うから、あなたは韓国ね」と小片さんと固く握手を交わし、腹をくくったそうです。

その後、研究者や詩人など福島と原発に関わる多彩な20人をゲストに毎年開催してきました。今年は3回の予定で、7月22日に新聞記者、9月17日に手作りの食事を提供する子ども食堂の運営責任者をそれぞれ福島から招きます。

確かに賛否が割れる大きな社会課題について発信することは、伴うリスクを想像してつい避けてしまいがちです。しかし、そういう課題だからこそ、賛否を超えて学び、考えることがより必要なのではないでしょうか。浜田さんが勇気を持って一歩を踏み出し、続けている姿を尊敬します。ぜひ一度、スクールMARIKOに足を運んでみてください。

［2017年5月26日掲載］

60

誰もが安心できる社会に NPO法人エスペランサ

出雲市

自分がもし慣れ親しんだ生活文化や言語と違う土地に突然引っ越したら――。そう想像しました。主に日系ブラジル人の子どもたちが通う出雲市の「多文化子ども教室」を訪れたときのことです。

同市では人口の1・9％が外国籍（3669人）で、最多がブラジル国籍の2525人。背景には市内の工場で働く日系ブラジル人が家族単位で来日したり県外から移住したりしていることがあります。それに伴い、日本語指導が必要な小中学生は5年前の4・6倍の110人に。市教育委員会も日本語指導員を増やして対応していますが、保護者自身も言語の壁や仕事で限界がある中、学校に足が向かなくなってしまう子どももいるそうです。

こうした子どもたちに少しでも安心できる人や場所をつくろうと教室を開いているのがNPO法人エスペランサ（出雲市）。工場に日系ブラジル人を派遣する2社から委託を受け、市内2カ所でそれぞれ週1回開催しています。

取材に訪れた日は、小学生8人が参加。1人の子どもが、宿題を前に難しい顔をして座っていました。宿題も日本の文化が前提になっていて、なかなか進まない様

多文化子ども教室に通う子どもたちとNPOのスタッフ＝出雲市斐川町直江、直江コミュニティセンター

子。ハラハラしながら見ていると、NPOのスタッフが隣に座り、一問ずつ一緒に考えていきました。20分後には無事、宿題が完了。その子は笑顔を見せ、みんなとサッカーをして汗だくになっていました。

この春来日した同市立中部小6年の山口ペドロさん（12）は「教室では自分一人だが、ここではポルトガル語で普通に話せて、わからないこともわからないと言える。とても楽しい」と話します。

「ここに来ることがゴールではなく、もっと地域の中でいろんな人たちと関わって、そこに安心がある社会になってほしい」とエスペランサの理事、堀西雅亮さん（47）。同NPOでは外国にルーツを持つ多様な人たちが交流するイベントも主催しています。堀西さんは「言葉や文化が違うことで排除されたり心ない言葉をかけられたりする場面を見てきて、何とか変えていきたいと思ってきた」と言葉を続けました。

冒頭に戻ります。そうなったらやっぱり戸惑うし、サポートや居場所がほしいですよね。相手の置かれた環境や心の内を想像し、自分ができることから始めようと強く思いました。

［2017年12月22日掲載］

61

「常識」超える新しい場を
西ノ島町コミュニティ図書館

　いま図書館が進化しているのをご存じでしょうか。以前は本を静かに読むイメージが強かったかもしれませんが、人口減少が進む中で、にぎわいを生むまちづくりの拠点としても期待されるようになっています。おしゃれなカフェが併設されて話題になった図書館の話を聞いたことがあるかもしれません。

　島根県内でも、クラウドファンディングというインターネットによる資金調達に成功した海士町立中央図書館など全国的に注目された例もあります。そんな中、全国初の「コミュニティ図書館」が2018年夏、西ノ島町にオープンすることになりました。くつろげるカフェや一緒に料理が作れるキッチン、子育て支援といったコミュニティー機能と、公共図書館の機能が一体になったものです。町が事業費4億1727万円をかけて整備。目の前に海が見える木造平屋で、蔵書は5万冊と住民1人あたりの冊数は全国的に見てもかなり充実しています。

　オープンに向け、現在は住民と一緒に図書館を考える「縁側カフェ」を毎月開催しています。1月中旬にあった第11回縁側カフェには、県立隠岐島前高校生や親子

縁側カフェで隠岐島前高校生たちと話す真野理佳さん（左）＝島根県西ノ島町浦郷、町中央公民館

連れなど21人が参加。図書館の概要を聞き「すごい」「図書館じゃないみたい」と驚きの声が上がり、図書館に泊まって本を読んだりお酒の試飲をしたりなど、これまでの「常識」を越えた新しい図書館の使い方のアイデアがぽんぽん出てきました。町立中央公民館図書室の司書で、新図書館に勤務予定の真野理佳さん（55）は「普段気付かないようなアイデアがたくさんありました。できる限り実現できるといいな」と笑顔を見せます。

　図書館という存在は私自身大好きで、前鳥取県知事の片山善博さんが図書館の使命を「住民の知的自立をサポートし、人生の悩みなどを解決する糸口を与える民主主義の砦《とりで》である」と位置付けていることにも共感していました。

　ただ、課題を言えば、従来のイメージがカタすぎて、本に関心がある人以外を遠ざけていた、結果的にハードルが高かったという側面もあると思います。コミュニティー機能をはじめとして新しい使い方が広がれば、自然に足を運ぶ人が増える。そうしてたくさんの人が訪れながら図書館の使命が果たせるという新しいあり方がここから生まれることを期待したいと思います。

［2018年1月26日掲載］

62

震災を自分事にしよう
3・11 雲南・出雲to TOHOKU

2011年3月11日。皆さんはどこで何をしていましたか？ 私は東京都内のビル11階にいました。立っていられないほどの大きな揺れ。窓の外には遠くのビルがぐにゃぐにゃと揺れているのが見え、このビルも倒壊するのではないかと、一瞬死を覚悟しました。

情報を求めてつけたテレビ画面に映ったのは、津波が街を、人を飲み込んでいく映像。自宅にも戻れず不安な中で「もっと備えをしておくべきだった」と悔いました。災害が「他人事《ひとごと》」になってしまっていたことに気付いたのです。いまでもあの日のことは忘れることができません。

私自身のこうした体験から、東日本大震災関連の活動については、被災地への支援はもちろん、防災意識を高めるなどいかに自分事につながるかという視点を意識してきました。現地の人からも「自分たちの経験を『教訓』にして備えてほしい」と同じ趣旨の話も聞いていました。

とは言え、東北から遠く離れた島根ではなかなか簡単ではないとも感じていた中で、震災から7年を迎えた今年、雲南市で「3・11雲南・出雲ｔｏ ＴＯＨＯＫＵ」というイベントが行われることを

新聞紙で防災スリッパをつくる参加者＝雲南市三刀屋町三刀屋、三刀屋中学校

知り、取材に出掛けました。

集まったのは中高生や社会人など約150人。東北にいる島根県出身者とのインターネット生中継や、東日本大震災に関連した展示、バンド演奏など多彩な企画が行われました。特に注目したのは、簡単にできる防災グッズづくりと緊急時に使える英語や日本語を学ぶコーナー。まさに自分事につながり、いざというときに役に立ちます。防災グッズづくりでは、実際に参加者が一人一人新聞紙を折り、避難所などで使えるスリッパを完成させていました。

イベントを主催したのは、分野を超えた地元の20団体でつくる実行委員会。きっかけは、高校生たちから「3月11日に何かやりたい」と声が上がったことだったそうです。その一人で、この日もイベントの司会役などを務めた堀江優花さん（15）＝三刀屋高1年＝は「大人の人たちと一緒に知らないことをたくさん学べた」と笑顔。実行委員会の野津寛延・三刀屋中学校教諭（54）も「今後も何らかの形で続けていきたい」と手応えを感じた様子でした。輪の広がりを見守っていきたいと思います。

［2018年3月30日掲載］

63

島全員で学校の本共有
知夫村図書館

島根県内で最も人口の少ない離島の知夫村（640人）。来居港から車で5分、知夫村小中学校に到着すると、一階の窓に「知夫村図書館」「開館」と大きく張り出してありました。全国でも珍しい、学校図書館を地域に開いて公共図書館にしている事例です。

知夫村ではピークの1950年には2349人が暮らし、小中学校も別々に建っていましたが、児童・生徒数の減少に伴い、校舎を一つにして役場の隣に建設。2015年度からは小中一貫教育の取り組みもスタートしました。現在、小学部17人、中学部19人が通っています。

一方、村には公共図書館がなく、役場のロビーに本棚が置かれ、貸し出している環境でした。保育園も含めて島の子どもたちを地域の住民が育てていこうと組織した「保小中一貫教育を支える会」から要望があったことも後押しし、学校図書館を公共図書館にする案が浮上しました。「新しく公共図書館つくる財源はありません。せっかく1つになる小中学校の図書室を開放するのは理にかなっています」と村教育委員会の高田英治教育次長。

2018年度にオープンした知

児童・生徒と住民が共用している
知夫村図書館＝島根県知夫村郡

夫村図書館は、面積１９６平方メートル、蔵書は１万４千冊。司書を務める南家知子さん(49)も「地域の大人用に入れた本を中学生が見てもいい。利用者から見ると本を分ける必要はないですよね。一つの財産を島の６００人でシェアする、最適な形だと思っています」と笑顔を見せます。

　前年度６００冊程度だった貸出冊数は、２０１８年度は計７０６５冊に大幅に増加。私が取材に訪れた日も、一般の利用者に混じって子どもたちが多く訪れ、本に親しんでいる様子が伝わってきました。

　さらに、「島まるごと図書館」など先進的な図書館サービスを展開している隣の海士町の取り組みを参考に、地域のバス停にも本棚が置かれ、より貸し出しや返却がしやすくなりました。

　全国で図書館の整備が進む中、人口や財政規模を理由に難しいといった声を聞くこともありますが、知恵と工夫次第で実現の道は開ける。そう示している知夫村の取り組みを頼もしく感じました。

［２０１９年４月29日掲載］

64 東北の教訓生かし防災学習 きっかけ食堂

２０１１年３月11日に発生した東日本大震災。遠く離れた島根で「自分にできることは何だろう」と問い続け、一つ一つ実行に移してきた女性がいます。島根大学の卒業生で、雲南市在住の村上尚実さん（27）です。

兵庫県に生まれ、３歳で阪神淡路大震災を経験した村上さん。東日本大震災の現場を訪れたのは発生から１年半がたった12年でした。土台だけの家などを目にして津波が多くをのみこんでいったことを実感するとともに「なんでもっと早く動かなかったのか」と悔い、個人的に毎年訪れるようになったのです。

大学４年の14年には、47都道府県の大学生がバスに乗って東北を訪れる「きっかけバスしまね」のリーダーを務めました。社会人になった16年にも「３・11を自分ごとに！　石巻で過去・現在・未来を体感し、島根に還元したい！」というプロジェクトを立ち上げ、クラウドファンディングで資金を募って島根からの参加者14人と宮城県石巻市を訪問。現地の住民とふれあい、帰県後には防災について考えるワークショップを開きました。

村上さんが気になっていたのは、島根の知人が「島根は安全だよね」と口をそろえることでした。

きっかけ食堂@島根に参加する村上尚実さん（右）＝出雲市矢尾町、古民家交流スペース「HANARE」

島根でも過去に地震は発生しており、西日本豪雨のように豪雨災害にもたびたび見舞われています。だからこそ「東北の応援も大切だし、行くのも大切だけど、行かなくても東北の教訓を生かして災害や防災を自分事として考えてもらうきっかけをつくりたい」。こう強く思うようになりました。

そこで6月11日から始めたのが、東北食材の料理を囲む「きっかけ食堂@島根」。毎月11日の「月命日」に各地で開かれている動きの島根版です。防災を前面に出すイベントは関心のある人にしか届きにくいですが、食を入り口にすると参加のハードルが下がるのではないかという狙いを込めていました。

出雲市での初回には11人が参加。宮城県気仙沼市産のイクラを使ったはらこ飯などを味わいながら、災害への備え方が自然と話題になりました。防災意識があまり高くなかったという人もおり、村上さんは「想像していたよりうまくいきました」と笑顔。私自身、村上さんを学生時代から見てきましたが、息長く続けながら着実に進化する姿を頼もしく思います。次回は7月11日、会場は松江市末次町の「SUETUGU」です。ぜひ一緒に輪に加わってみてください。

［2019年6月28日掲載］

65

障害者の安心できる場所　アトリエスノイロ

浜田市

石州半紙の上に広がる、大量の空色の絵の具。子どもがその中に手を突っ込み、手も空色に染めながら夢中で感触を味わっていました。

浜田市牛市町にあるアトリエスノイロでの一幕です。この日いたのは自閉症の男の子（10）。一般的な絵画教室とは少し違っています。絵の描き方を教えるのではなく、一人一人の感性を解き放って自由に表現活動をしてもらうのです。

主宰しているのが、東京からIターンしてきた栗山千尋さん（36）。武蔵野美術大学（東京）で、既成の美術表現にとらわれず制作されたアールブリュットを知り、全国でも唯一というダウン症の人たち向けのアトリエのスタッフとして働いていました。東日本大震災を経験し、県が首都圏で開催する連続講座「しまコトアカデミー」をきっかけに2014年、浜田市に移住しました。

日々を過ごす中で、知人から提案されたのが、屋敷をリノベーションした「さきや」でのアートの場作り。周囲に相談してみると、県内にダウン症の人たちが通えるアートの場がなかったこともあり、歓迎や後押しの声を受けました。そこで16年4月、実際にさきやの一室を借りてオープン。全国2例

作品をつくる子どもと栗山千尋さん（左）＝浜田市牛市町、アトリエスノイロ

目となるダウン症の人たち向けのアトリエでした。

「ダウン症の人たちが絶対的に安心できる場所、押しつけられることなく心地よい表現ができる場所を目指しています」と栗山さん。「自分は無になり、彼らの世界に入って彼らの世界を見せてもらう感じです。アトリエの活動を福祉と言われることもありますが、福祉じゃなくて文化なんです」と笑顔を見せます。

現在通っているのは県西部の20人。ダウン症以外の障害を持った人も幅広く受け入れるほか、一般の子ども向けのクラスも開設しています。アトリエには色彩豊かだったり、異素材を組み合わせたりした多様な作品が飾られ、そして保管も増えてきました。今後はこれらの作品をリースし、ホテルやレストラン、病院の待合室に飾ってもらうなどの形で広く伝えたいと栗山さんは語ります。

冒頭の子どもは空色にピンクや黄色を次々と重ね、鮮やかな作品ができあがりました。その様子に創作の喜びや原点を見たような気がして、彼は絵画、私は文章ですが、同じ表現者として心が揺さぶられずにはいられませんでした。ぜひ自宅やオフィスに作品を飾りたい。その日が楽しみです。

［2019年7月26日掲載］

（追記　現在は移転しています）

66

災害時に役立つ知識提供
防災グループUNIT

雲南市

台風や大雨、洪水、地震など外国と比べても自然災害が発生しやすいと言われる日本。実際、関東地方を中心に広い範囲に被害をもたらした今秋の台風15号や19号の記憶は生々しく、災害がますます他人事ではなくなってきています。しかし、自分が直面したときのことを考えると、何をどうしていいのかわからない…という方も多いのではないでしょうか。

そこで、いざというときの対応を学ぶためのワークショップなどを企画しているのが、島根県雲南市に拠点に置く防災グループ「UNIT（うんなんいのちをつなぐ）」（野津寛延代表）です。10月下旬、同団体が開催した「そのときどうする？」に出掛けてきました。

参加していたのは、雲南のほか、松江市、出雲市、島根県奥出雲町から集まった親子連れなど12人。前回のテーマは水害でしたが、今回は地震をテーマに、地震発生時からの行動を、時間を追ってシミュレーションしながら、避難所生活も体験するという内容です。

まずは地震発生直後、命を守るための姿勢や、身の回りのものを使ってできる止血法などの応急処置を確認。そして、避難所生活を

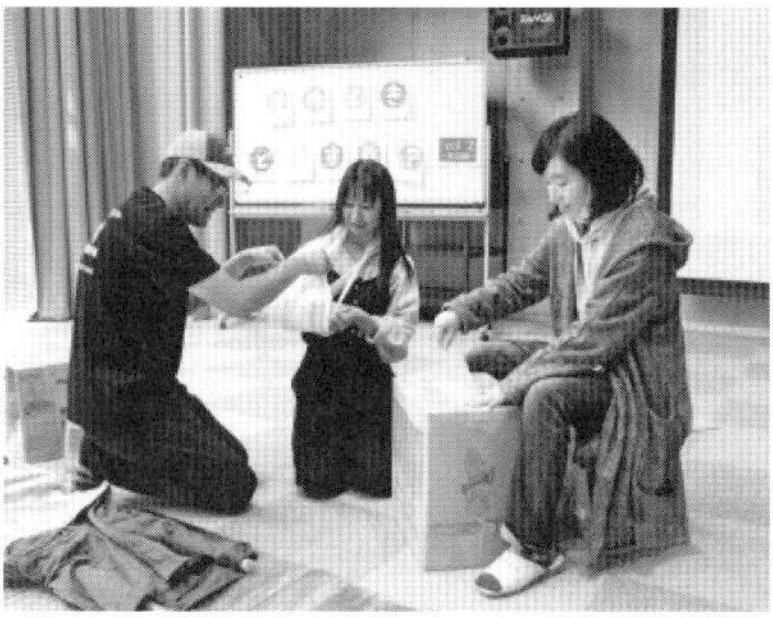

ビニール袋による応急処置をしたり、段ボールを使った机をつくったりするUNITのメンバー＝雲南市加茂町宇治、かもてらす

想定して、少しでも快適に過ごせるように段ボールでいすと机を作ったり、竹とひもとブルーシートで簡易的な更衣室を組み立てたりしました。さらに、ポテトチップスや缶詰など非常食をおいしく調理する方法を学び、参加者で試作と試食を行った後、家庭での水や食料の備蓄方法なども共有しました。

　中心的に活動している一人が、雲南市在住の小林雅和さん（29）。2016年の熊本地震でボランティアを経験し、防災に問題意識を持っていました。地元には常時活動するグループがなかったことから、今年5月、野津代表らと同団体を立ち上げました。看護師やNPO法人のスタッフなど若い世代を中心に約20人で活動しています。「楽しくないと続きにくいので、今後は楽しい防災をテーマにした運動会なども企画してみたいです」と話します。

　同団体は今後も、勉強会や避難所体験といったさまざまな仕掛けを考えていく予定で、次回は来年1月26日午後1時半から雲南市加茂町のかもてらすで予定されています。災害時に役立つ知識が学べるはずですので、ぜひ足を運んでみてください。

「2019年11月29日掲載」

67

JR木次線との接続改善
雲南市民バス

4月中旬のある日の夕方、JR木次駅（雲南市木次町木次）の駅前ロータリーに、オレンジ色の雲南市民バスが到着しました。降りてきたうちの1人は、そのままJR木次駅へ。数分後に到着する宍道方面の列車に乗り換えるのです。

実はこれは、4月の市民バスのダイヤ改正で実現した光景です。全15路線95便のうち2路線12便についてJR木次線との接続が改善されました。

これまでは、例えば木次駅での市民バスとの接続率が33％で、接続がいいとは言い難い状況でした。こうした中、2018年に同市のほか沿線自治体とJR西日本が木次線利活用推進協議会を新たに設立。利用促進に加え、鉄道という地域資源を生かすための事業を展開してきました。背景には、木次線の平均通過人員（1日1キロ当たりの利用者数）が200人（18年）という同社管内でも2番目に少ない利用実績への危機感があります。

利用者増に向け、接続改善は必須。とはいえ、通院・通学が中心の市民バスの利用実態も踏まえれば、100％の接続というのは現実的とは言えません。松江方面から同市を訪れるといった複数のパターンの人の流れを想定し、バスの出発時間を変更したり、停車す

JR木次駅前に到着した雲南市民バス＝雲南市木次町木次

るバス停を減らしたりなどの地道な作業で可能な限りの接続を進めました。

　しかも、インターネットでも市民バスダイヤが検索できるようにしたことで乗り換え案内の利便性もアップ。一方で、どうしても不便になる地域も出てくるため、丁寧な説明による合意形成を心がけたそうです。

　さらに、同市三刀屋にオープンしたばかりの中心市街地商業施設・コトリエットとの接続も意識し、木次線と市民バス、コトリエットの「三方良し」を目指しました。担当したうんなん暮らし推進課の藤本万葉副主幹は「新型コロナウイルスの影響が見通せない中ではありますが、木次線や「コトリエットの利用につながるとうれしいです」と話します。

　ただでさえ本数が多いとは言えないローカル線と二次交通との接続は簡単ではなく、運行主体が異なることもあって、同市に限らず両者の連携は進んでいないのが現状です。しかし、運行主体は違っても、共に地域を走り、住民の暮らしを支えていることは同じであり、運命共同体と言うこともできます。地域の総合交通体系の中にローカル線の視点を組み入れる。それは確実に暮らしやすい地域につながるはずです。

［2020年4月24日掲載］

68

公務員仲介　新たな需要
飲食店応援キャンペーン

6月上旬のある日の夕方、浜田市片庭町の県西部県民センターを訪ねると、弁当が山積みになっていました。職員が笑顔で寄ってきます。「わぁ、今日も豪華だ」「いいね」「楽しみ」。1人一つを選んで持ち帰っていきました。

これは、同センターが企画した「飲食店応援キャンペーン」の一環。新型コロナウイルスの影響で売り上げが減少した飲食店の応援が目的です。

全国で感染が拡大した4月以降、県内ではいち早く邑南町役場が昼食に地元飲食店の日替わり弁当を注文する支援策を始め、ほかの自治体でも同様の取り組みが増えていきました。こうした中、同センターがひと味違うのは、昼食用ではなく夕食用のお弁当であるということです。

その狙いを提案者である永富聡商工観光部長に聞くと「新しい需要をつくりたかったんです」との答えが返ってきました。夕食用であれば、単身赴任者が多い職員に喜ばれ、しかも当時製造していた店舗はなかったため競合もしない、という両者にとって「Win《ウィン》－Win《ウィン》」な関係が築けることに目を付けたのです。

呼び掛けに応じた19店舗が1個千円でメニューを用意。同センターの事務所がある県浜田合同庁

弁当を選ぶ島根県西部県民センターの職員ら＝浜田市片庭町

舎の全部署に島根県立大学、山陰合同銀行、山陰中央新報社、ＪＡしまねといった民間企業・団体の支社支店も参加し、同センターの職員が各所に配達して歩きました。多い日には一日１８８食の注文があり、５月11日から６月５日までの平日18日間の合計は１８９１食、１８９万円の売り上げとなりました。

　食中毒が発生しやすい時期を迎えることから、いったんキャンペーンは終えましたが「これまで直接つながりがなかった浜田市内の事業者とつながりができたことが何よりの財産だと思います」と永富部長は振り返ります。

　取り組みの背景には、坪内清所長が新年度、通常業務に加えて何か１つ県民のためになる「プラスＯＮＥ」の提案を呼びかけたことがありました。新型コロナウイルスで長距離移動が制限されたこともあり、あらためて地元で経済循環をつくる必要性がクローズアップされています。公務員も地域の一員として環《わ》の中にしっかり入る。もっと言えば、今回の例のように率先して環を強くする。そんな地域であれば、新型コロナウイルスに限らないさまざまな危機も乗り越えていけるのではないでしょうか。

［２０２０年６月26日掲載］

69

「エシカルな」はちみつ 空水土 coupmead《クーミード》

益田市

人や地球環境、社会、地域に配慮した考え方や行動を指す「エシカル」。近年急速に注目されているこのキーワードを大切に、益田市ではちみつをつくり、販売しているのが、「空水土coupmead《クーミード》」です。

空水土は、養蜂家の石田政樹さん（66）と、販売を担当する娘の樹理さん（39）が考えた屋号。政樹さんは10年ほど前、知人に勧められて趣味で養蜂を始めました。転機は、首都圏に住んでいた樹理さんが東日本大震災を経験し、大量生産・大量消費というあり方に疑問を感じるようになったこと。例えば政樹さんのハチミツも、直接販売ができなかったら他地域のはちみつと混ぜられて「国産」として売られます。島根を行き来しながら、何かできることがないかと考えるなかで「自然環境や消費行動を変えられるきっかけを、はちみつでつくれないか」という思いに至ったのです。

はちみつは空と水、土などその地域の環境がそのまま味になる食品です。牧草地を飛び回るミツバチから集めたはちみつは、ほんのり草の香りがするそうです。だからこそ、政樹さんも無農薬で野菜や蜜源であるレンゲを育て、環境

商品を手にする石田樹理さん

を整えています。

商品化するにあたり、2人で約束したのが、「持続可能であること」でした。もうけを目指して必要以上の量をつくり、環境を壊すような商売はしない──。エシカルにつながる考え方です。実際、販売しているのも同市内のカフェ「moritani」のみ。そして樹理さんはエシカルについてきちんと学ぼうと、エシカル協会が認定するエシカル・コンシェルジュを取得しました。

現在、商品は日本ミツバチのハチミツと、西洋ミツバチのハチミツの2種類。2018年、おいしいハチミツを選ぶ「ハニー・オブ・ザ・イヤー」の国産と日本ミツバチ2部門でベスト3に入り19年も日本ミツバチ部門で来場者特別賞を受賞しました。実は16年、17年にも島根のハチミツが選ばれています。樹理さんは「技術というより、島根の自然環境が評価された」と誇らしそうに語ります。今後もはちみつを通じて環境を考えてもらうワークショップなどを続けていく予定です。これからの時代のキーワードと言えるエシカル。島根でもこうした動きがもっと広がっていくことを願います。

［2020年12月25日掲載］

第5章のコラム

地域の再生や活性化を目指すとき、いわゆる「攻め」の取り組みが注目され、重視されがちに感じます。しかし、それと同等あるいはそれ以上に、いわゆる社会的弱者の存在を想像した「守り」ともいえる取り組みが大切だと考えています。人口減少に伴いリソースが減って苦しくなってくると、より社会的弱者やマイノリティにしわ寄せがいきがちだという問題意識もあります。

「今の自分には関係ない」。こう思う人もいるかもしれません。たとえば突然災害や事故にあうかもしれませんし、そもそも誰もが必ず年をとっていつかは高齢者になります。誰かの暮らしにくさは、どこかで自分の暮らしにくさにつながっているのです。

第5章では、障がい者や外国にルーツを持つ人などイメージされがちな社会的弱者はもちろんのこと、光が当たりにくい防災分野やそのほかの少数者に想像力を働かせ、みんなが暮らしやすい安心な地域社会に向けた取り組みをまとめています。スクールMARIKOやきっかけ食堂、第4章のミーティングポイントなど時間の経過とともに役割を終えたものも含まれていますが、記録することに意味があると考えています。併せて連載最終回のまとめも今とは異なっている部分もありますが、記録としてそのまま掲載することとしました。

しまね未来探訪・連載を振り返って

「全国に先駆けて人口減少に直面してきたからこそ、未来に向けてチャレンジする人がたくさんいる。日本の未来は島根がつくる」—。2015年4月24日付けの第1回「しまね未来探訪」で、こんな風に書きました。

あれから5年あまり。日本の未来を島根はつくったのでしょうか。チャレンジャーたちを追った69回の連載を振り返ると、その答えは「Yes」です。

島根がつくった未来を大きく五つ、挙げたいと思います。

一つは教育魅力化。発祥の県立隠岐島前高校（海士町）から始まった小さな動きがうねりとなり、全国に広がりました。学校の統廃合をめぐり各地で議論が起こる中、目指すべきは学校の存続ではなく魅力化であり、魅力的になれば存続という結果はついてくる、という考え方は本質的です。加えて、地域の担い手を育てることが教育の役割だと再定義したことにも意義がありました。

続いては医療分野で、全人的に患者を診る総合診療医。隠岐島前病院（西ノ島町）が先進的に取り組んだことで知られ、こちらも今では全国に広がっています。人的、物的資源の少なさが生んだ必然的なイノベーションと言えるのではないでしょうか。そのほか雲南市の「幸運南塾」とNPO法人おっちラボの動きが、普段から地域の中にいて住民の健康と安心を実現するコミュニティナースという新しい医療人材のモデルを生んでいきました。

三つ目が食のA級グルメ構想。「里山レストランAJIKURA」（邑南町）が先例となり、ここでしか味わえないものを提供すれば人が訪れることを証明しました。「にっぽんA級グルメのまち連合」も立ち上げ、全国5自治体と連携しています。同じお店や風景が広がるグローバル化が進むほど、固有のローカルに価値があることを可視化したと感じます。宝は足元にあるのです。

四つ目は、関係人口。住まなくても地域に関わる外部人材を指し、定住人口でも交流人口でもない新しい存在として注目が高まっています。生みの親と言えるのが県主催の連続講座「しまコトアカデミー」。さらに関係人口と一緒になった地域づくりを実践しているのが、邑南町羽須美地域とNPO法人江の川鐵道です。いずれも関係人口のお手本として全国的に有名になりました。

そして五つ目が、地域に多様ななりわいを生む仕掛けづくりです。代表例が地域課題を解決する起業人材を呼び込む江津市ビジネスプランコンテスト。NPO法人てごねっと石見を立ち上げて10年続け、人が人を呼ぶ好循環をつくりました。また、海士町が始めたマルチワーカー制度が、地域の担い手を確保する特定地域づくり事業協同組合の法制化につながっていきました。

これらに共通しているのは、人口減少時代の新たな解決策ということです。大切にしたい視点は、日本全体の人口が減る中でも人々が幸せに生きていく地域をどうつくるかであり、島根はその先頭を走ってきたと言えます。

もちろんほかにも大小含めてさまざまな新しい動きが起こっています。今後も、人口自体は減り続けるでしょう。それでも、こうした動きをつなぎ、力を合わせてともに進化していけば、島根の未来は、楽観はできないものの、決して悲観することもないと考えています。

10年先を見通した次の未来のキーワードは、新型コロナウイルスや気候変動を背景に、グリーンリカバリーと言われる環境と社会を重視する考え方、そしてLGBTQへの理解も含めたジェンダーレスにあるように感じます。例えば県内でもバイオマスなど再生可能エネルギーの取り組みが始まっています し、全日制の県立高34校のうち12校が女子もスラックスを選べるようにしました。これからも島根に生きる人たちによる、次の未来をつくる動きに注目していきたいと思います。本当にありがとうございました。

［2021年1月29日掲載］

<関連年表>

1998	島前地域で総合診療医の取り組み始まる
2008	隠岐島前高校の魅力化プロジェクト始まる
2010	江津市ビジネスプランコンテスト始まる
2011	NPO法人てごねっと石見設立
	「里山レストランAJIKURA」オープン
	雲南市「幸運南塾」スタート
2012	「しまコトアカデミー」スタート
2013	海士町でマルチワーカー始まる
2014	NPO法人おっちラボ設立
2017	地域・教育魅力化プラットフォーム設立
	コミュニティナースカンパニー設立
2018	NPO法人江の川鐵道設立
	「にっぽんA級グルメのまち連合」設立
2020	特定地域づくり事業協同組合が法制化

解説

島根の過疎の歴史と先進性

ローカルジャーナリスト
田中輝美

島根県は過疎の発祥地とされています。半世紀以上前から過疎、つまり、急激な人口減少に直面してきたのです。島根にまつわるデータを見ながら整理していきましょう。

100年前の人口を下回った唯一の県

県人口は、2020年国勢調査で671126人。ピークである1955（昭和30）年の929066人と比べると、約26万人減少し、何より第1回の国勢調査が行われた1920（大正9）年当時の県人口を下回った全国唯一の県となっています。

1964年の東京オリンピックから5年後の1969年、島根県旧匹見町（現・益田市）の故・大谷武嘉町長は衆議院地方行政委員会に参考人として出席し「過疎

国勢調査による島根、鳥取、東京、神奈川4都県の人口比較

	1920(大正9)年	2020(令和2)年
全国	55,963,053	126,146,099
島根県	714,712	671,126
鳥取県	454,675	553,407
東京都	3,699,428	14,047,594
神奈川県	1,323,390	9,273,337

といえばまず島根県、島根県の中でも匹見町というほどに、過疎では匹見は全国にうれしくない名前をはせておりますことを、まことに恥ずかしく思っている」と発言しています。このころには島根県が過疎の代表的存在として認識されていたことは確かと言えそうです。

　あらためてなぜ過疎が生まれ、続いているのかを考えてみたいと思います。大きくは、過疎のはじまりと、その後も続く構造的な要因という二段階に分かれます。

「集団就職」で県外就職率77%

　日本国内では、１９５５年に始まった高度経済成長を背景に、農村から都市へ若者たちが大量に流出し、過疎が生まれました。この時代には、地方の中卒者が「金の卵」と呼ばれ、特別仕立ての就職列車に乗って集団で大都市に移動する「集団就職」が行われていました。

　島根県では１９６５年に中学校を卒業して就職した７２０７人のうち５５５１人が県外に就職し、県外就職率は77%に上ったことが『日本の過疎地帯』（１９６８）で紹介されています。

　この本の中では、過疎問題は独立しているのではなく、都市の過密とセットであることが指摘されています。忘れがちですが、過密があるから過疎があり、過疎があるから過密があると言えるのです。

　しかも、島根県の過疎化に拍車をかけたのが、昭和37年暮れから翌38年にかけて「三八《さんぱち》豪雪」という大雪に見舞われたことです。記録では、浜田市金城町波佐地区で2メートル85センチの積雪が記録され（昭和38年2月5日）、ほかにも3メートルから4メートルになったところもありました。1カ月以上にわたって孤立する集落が相次ぎ、死者33人、負傷者53人。いつまたこのような事態に遭うかわからず、その後、一家で集落を離れる「挙家離村《きょかりそん》」が相次ぐなど過疎に拍車をかけました。東北などでは、一家の稼ぎ手のみが都市へ出る「出稼ぎ」が主流だったとされますが、それとは違った形で過疎が進んだのです。

県内高校生の県外進学率34％

その後、高度成長期の終わりとともに集団就職はみられなくなりましたが、1980年代以降も島根では引き続き人口の流出が進みました。その理由は、大学や専門学校などの高等教育機関に進学する人が増えてきたことが関係しています。

全国の大学進学率は、1980年代は30％台でしたが2023年は57・7％と半数以上の人が大学に進学しています。島根でも同様に上昇の傾向がみられ、2023年は50・0％となっています。ではなぜ大学進学率が上がると流出が進むのか。それは、大学の多くが都市に立地しているからです。

東京にある大学数が143校に対して島根はわずか2校（国立大学1校、公立大学1校）。全国47都道府県で最少です。島根県と並んで佐賀県も同様に最少の2校ではありますが、地理的に隣の福岡県に近く、交通機関も発達していて福岡県の大学に通うことができるという点が大きく異なります。

都道府県別大学数の上位3校と下位3校

都道府県別大学数

1位	東京	143校
2位	大阪	55校
3位	愛知	51校
	⋮	
46位	鳥取	3校
47位	島根	2校
	佐賀	2校

（令和2年度 学校基本調査）

参考

島根県内高校生の大学、短期大学への進学先の状況

・県内高校からの進学者約3,200人のうち、約85%が県外大学等へ進学
・県内大学等への進学者約1,800人のうち、約70%が県外高校からの進学

大学等への入学状況(令和元年度)

県外へ 2,648人

①広島県	589人
②大阪府	331人
③岡山県	315人
④東京都	179人
⑤兵庫県	160人
その他	1,074人

島根県内の高等学校

進学
3,154人

県内へ506人

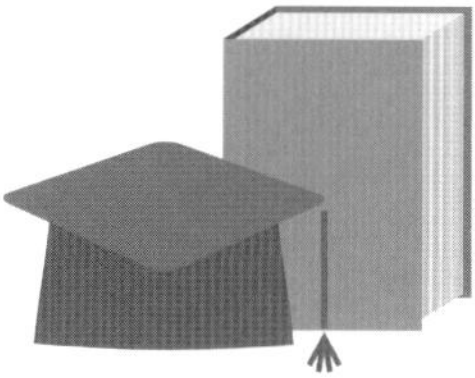

県外へ 1,253人

①鳥取県	190人
②広島県	188人
③岡山県	142人
④兵庫県	122人
⑤大阪府	49人
その他	562人

島根県内の大学・短大

入学
1,759人

資料:「学校基本調査」(文部科学省)　(注)大学、短期大学の計(令和元年度入学者ベース)
島根県による若年層の社会移動の状況報告より転載

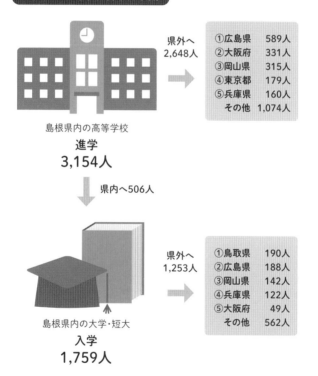

実際に島根県のまとめで、15〜24歳の若年層は他の年代と比べても県外からの流入よりも流出が多い「転出超過」となっていて、その理由は就学・卒業、そして就職が理由です。さらに、島根県内高校生の進学先に絞ると、2019（令和元）年度の調査で、県内の高校生3154人のうち、県内は506人、県外が2684人で、84％が県外に進学しています。あらためて考えると、集団就職時代よりも高い数字になりますね。前述したように県内には大学が2校しかなく、短大も合わせた入試定員は県内18歳人口の4分の1程度に過ぎないことが影響しています。

定員からあふれた若者は進学を諦めるか、進学を望むなら県外に流出する。これが良いとか悪いといった価値判断とは別に、現在も続いている基本的な構造です。

戦後の構造的な要因をみてきましたが、少し視点を変えて、もう少し長い時間軸で見ると、別の言い方もできます。かつてはそれだけ豊かで人が住めていた、つまり、人口を抱えていることができていたからこそ、人が大量に流出した、ということです。

木炭生産量全国2位

一見「地味」なイメージの島根県ですが、かつては、明治時代まで続いた国内の製鉄の中心地でした。島根県を含む中国山地は、鉄分を多く含む花崗岩が風化してできた真砂土が大量に産出されます。砂鉄と木炭を土でつくった窯で製造する「たたら製鉄」が盛んに行われました。特に全国の木炭生産がピークを迎える1960年まで、東の横綱が「岩手木炭」、西の横綱が「島根木炭」とされ、製炭が重要な産業でした。島根県は木炭生産量では長らく全国2位でした。だからこそ、山深い地域にも集落が形成され、人が住み着くことができていたのです。山道をドライブしながら、こんな山深いところにどうして集落があるのか不思議に思ったことはありませんか。その理由のひとつでもあります。

森林面積全国3位

たたら製鉄や木炭が盛んだった背景には、県の面積に占める森林割合が79％に上り、全国3位の森林県ということがあります。湿潤で、比較的標高の低い山並みが続き、木炭の生産に最適なナラ、ブナといった広葉樹が多いことが強みとなりました。しかし、明治時代に入り近代的な製鉄が始まり、さらに1950年代になって各家庭にガスが普及し出すと、木炭の生産量は一気に減少します。現金収入の道を絶たれた島根県の農村から、人口流出が始まりました。過疎の発祥地、島根県匹見町が中国山地にあり、総面積の97％が森林であったことは、象徴的です。人口は7186人（1960年）からたった5年で5256人へ。その後も減少が続き、近年は1119人で約8割も減ったことになります。

東京から一番遠いまち

島根県から山陽側に行くには、ほぼ必ずと言っていいほど中国山地を越えなくてはなりません。江戸時代には播磨国姫路（兵庫県姫路市）から出雲国松江（島根県松江市）を結ぶ出雲街道が存在し、現在では国道や高速道の整備が進みました。それでも冬は積雪で通行止めになることが少なくありません。JRも山あいを縫うようにして走るローカル線が陰陽を結んでいますが、高速道の影で存在感は薄く、新幹線は通っていません。例えば江津市は、東京を起点にしてJRで移動した場合に移動時間がもっとも長い市として高校の教科書で紹介されたことがあり、市もむしろそれを売りにしています。

これらが意味することは、島根県は通勤・通学で隣の他県に通うことは、一部をのぞいてほとんど不可能な地理的環境にある、ということです。だからこそ、戦後は仕事を求めて、その後も大学をはじめとした高等教育を求めて、人びとは流出し続けています。流出するしか選択肢がなかったと表現することもできます。

実はどこにあるのかよく分からない都道府県ランキング1位

そして島根県の現在地は、隣の鳥取県と間違われやすく、「島」「鳥」という漢字が紛らわしいことが影響しているのかもしれませんが、報道や国の省庁の発表資料などでも間違いを見つけたことは一度や二度ではありません。

島根県は「島根は鳥取の左側です！」、鳥取県は「島根の右側です！」という地図入りのTシャツを販売してPRしているほどです。2県ともインターネット上で面白半分に展開される「実はどこにあるのかよく分からない都道府県ランキング」上位の常連でもあります（ちなみに島根が1位です）。

それなのに、というか、だからこそ、というべきか、この本でも紹介してきたように、島根県は、移住・定住対策や関係人口の先進県として知られるようになっています。

なぜ先進的なのか、その理由を聞かれることは少なくありません。積極的で先取の気風がある県民性なのですか、とも聞かれますが、むしろ保守的で、よくある地方の県の1つではないでしょうか。前述した旧匹見町、大谷町長の1969年の意見陳述にヒントが隠されているように思います。

　大谷町長の意見陳述の締めくくりは、今読んでも胸が熱くなります。

> 私たちは過疎の問題についてどろんこになって真剣に立ち上がっていこうと、また全国の中の776の町村の中で私は最右翼のりっぱな過疎の村づくりをしてみせるという意欲に燃えている者の一人でございます。どうかそのひなびた山村におります私の心を裏切らないように、われわれのその勇気を、われわれのその気持ちを生かしていただくように、過疎立法がぜひ実現いたしますように皆さま方の格別の御尽力をお願いを申し上げて意見を終わりたいと思います。

過疎の発祥地だからこそ、全国最先端で人口減少が進むからこそ、人びとは悩み、もがき、工夫し続けてきました。そこに先進性が宿ってきたのではないでしょうか。

　加えて近年の動きを見ていると、人口が減り続けてきたからこそ、そこに「余白」のようなものが生まれていることも大きいと感じます。

「ないからつくることができて面白い」「人とのつながりがあるのが魅力的」といった新しい感性を持った若い世代が飛び込んでくることができる、その余白が島根は大きいということです。地域に住んでいる側からみると余白という表現になりますが、若い世代にとっては自分が関わることのできる「関わりしろ」に見えると聞いたこともあります。

　こうした現象がやはり全国でも先んじて表面化しているのが島根なのだと説明することもできると思います。だからこそ、島根にはあなたの出番もきっとあるはずです。

島根が気になる20代座談会

島根で暮らす20代の若者3人に、本書「第1章〜第5章」を先んじて読んでもらい、それぞれの読後の感想を語り合ってもらった。

島根って何もないでしょって言ってくる友達に読ませたい。

石倉 ももこ さん

会社員 20代。松江市生まれ。小中高を松江市内で過ごし、大学進学を機に東京へ。新卒でUターン。

これだけ地域に向き合っている人がいるんだって。知らなかっただけなんだって。

浦上 慧伍 さん

島根大学法文学部地域人材育成コース所属2年。出雲市生まれ。小学校のときは千葉県。中学進学を機に松江市へ。

島根で会った人は魅力的で生き生きしてる。

石川　楓 さん

島根県立大学地域政策学部2年。茨城県生まれ。大学進学を機に浜田へ。

聴き手　田中りえ（株式会社MYTURN）

地方は都会になりたいわけじゃない

―さっそくだけど、本を読んでみてどうだった？

石倉　ちょうど大学生のときに、新聞記事を読んでいたので、なんだか懐かしいなと。私は、「島根には面白いモノやひとはいない」って高校生ぐらいまで思っていて。大学生になってから面白い大人と出会うようになって変わってきた。この本には、島根で楽しく暮らす人や、島根の創り手の人たちの姿がたくさんあった。島根だからできること、地方だからできることが詰まっている本だなって。

浦上　僕の高校時代はコロナ禍真っ只中。島根で活躍する人たちとの出会いは一切なくて。本当に何も知らなくて、自分も高校生活に必死だった。いま大学生になって、外への広がりとか興味を持ち始めたところ。僕も地方には何もない、島根には遊ぶところもないし遊園地とかもないしって思ったこともあります。でも、別に地方が都会になることを目指しているわけじゃないし、都会と同じことをやっても便利な都会には勝てない。地方がこれから発展していくには、多様性とか寛容とか、そういう価値観だなっていうのを、僕はこれ読んで感じました。

石倉　浦上くんの「地方は都会になりたいわけじゃないよね」っていう言葉、すごく分かる。私達が子供の頃ですら「優位なのは都会で、それより劣るのが地方みたいな」という概念があったんだけれど、そうじゃないんだなって思わせてくれた本だった。

―石川さんは関東の出身。島根県立大学に来て、江津や大田の温泉津とか地域と関わる機会も多いよね。本を読んでどんな印象を持った？

石川　そうですね。島根に来て、地域で活動するなかで出会った人が、いっぱい載っていて。この人ってこんなことしていたんだっていう驚き。それに、最近私がフワッと思っていたことを、5、6年前に田中輝美先生が文章にしていて、「うわ、悔しいな」って(笑)。でも自分が活動してきて感じたことや考えたことって間違ってなかったんだなって、嬉しさがちょっとありました。それと、知らなかったらイコールないと同じなので、こうして本で発信することって大事なんだなって思いました。

—特に印象に残った記事はある?

石倉　「C!C!C!」のイベントが松江で開催されたとき、当時大学生で、実際行ってみて、とてもテンションが上がりました。都会のおしゃれなものへの憧れもあって、それが島根で味わえて。パッケージとかも何でこんなにオシャレなんだろう!って。

浦上　オシャレさでいうと、マスコスに泊まるために益田に行きたいって思う。なんだろうあの洗練された感。

石倉　うんうん、あれだけでテンション上がるよね。

浦上　それと、松江の「縁雫」の記事かな。ハッとしたというか。雨なんて普通に降るし、なんの価値もないってかむしろ嫌なものなのに、スパッと発想変えるってすごい。廃線になった三江線にトロッコを走らせるのもそうだし、発想の転換をして、価値をつけるとか、そういうのがたくさん島根にあるなって思って。

石倉　「高校生でも貢献できるんだ」っていうコメントもあったけれど、島根だから役割があるって思えるんだなって。高校生自身が自分の体験から言葉にしているのをみてすごく感動しました。

石川　私は坊主バーかな。ちょうど夏に富金原さんと一緒に活動したんですが、こんなこともやっていたんだ!という驚き。東京の坊主バーを参考にしたけれど、そのままを持ってくるんじゃなくて、ちゃんと地域に合った形にしてやっていて。あと富金原さん、私が会ったときは、eスポーツ、VRとか以前とは違うことをしていて。身軽さというか、興味のあることをやっていくのがすごくいいなと思いました。

石倉　何か一つチャレンジしている人って、定期的に違うチャレンジを始めているよね。

浦上　本には20歳とか若い人もでてきますよね。大学生で起業した缶詰バーの松永さんとか。やりたいことと、ビジネスを結びつける力ってすごいなって。その地域でやっぱりお金が回っていくから、地域が発展していくし、そこまで考えられるのがすごいな。ボランティアで終わらない。

石川　松永さん、会ってみたいな。でもちょっと先を越されて悔しいって思った。

浦上　僕は悔しいってあまり思わなくて。悔しさより希望かな。

3人　へー。

浦上　石見麦酒さんの「ライバルじゃなくて仲間なんだよって」っていうコメントもあったけれど、むしろ他の人がやっているから、真似もできるし、いいところ取りもできる。悔しさより希望っていうか、喜びとかが大きかったです。

石川　私は逆。同業者はライバル（笑）

「幸せのものさし」は多様

浦上　ちょっと話が戻るんですが、益田の豊かな暮らしラボラトリーに行ったとき、「幸せのものさし」っていっぱいあるなって。都会に出ていく子たちって、お金を稼ぎたいとか、なんか大企業に勤めたいみたいな、そういう価値観の子が多いのかな。

石倉　だから、稼ぐために都会に行くのかな。

浦上　「幸せのものさし」は多様なんだってことを、中学とか高校のときから考えられたら良かったな。勉強とか必死に頑張ってきて、自分なりの幸せなんて、考える時間がなかったなって。

石川　島根みたいに人が少ないからこそ、一人一人が生かされて、大事にされて、活躍できる場所が島根にあるなっていうのはすごくいいいな。東京だったらそこら辺の一人だけど、島根だったら一人の重みが大きいっていうか。

田中り　そうそう、田中輝美さんも「東京1400万人の1と島根65万人の1を比べると、一人一人の役割や存在感ってどうですか?」って講演で聴衆に投げかけることもあって。

石倉　そうそうハッとする。それに、人口が減るなかでも人々が幸せに生きる地域をつくるにはどうしたらいいか、って。人口減少そのものが問題じゃなくて、幸せに人々が生きていけるかが問題だってこの本を読んで感じました。

　それに、都会で暮らしていると、消費することに疲れちゃうっていうのを住んでみて初めて分かった。ちょっと遊ぶのにこんなにお金がかかるの?って。島根だったらもっと有効なお金の使い方できるのに。友達と場所借りて料理したりとか、その辺でキャンプしたりとか、そんなことで十分楽しいじゃん、って。

石川　私は、都内で見かける、いわゆるスーツ着て満員電車に乗って仕事をしている人たちよりも、島根で会ってきた自分で仕事を作っている人のほうが、魅力的で生き生きしてるように思えました。

石倉　大学生のとき「サラリーマンを見てられない」って思っていた。漠然と「こんな大人になるの、嫌だな」って。

石川　そうそう、記事にもありましたが、何か一つじゃなくて、複数の仕事をしている人、マルチワーカーに、すごく憧れています。

石倉　副業とかマルチワーカーに憧れる大学生や若い人多いよね。みんなって何に惹《ひ》かれている?　ひとつの会社に就職して週5日働くのではなくて。

浦上　僕の場合は、大学卒業後にどこで就職するか迷い始めていて。島根には、島根のことを想って活動している人がいるからこそ、僕は外に出て、島根のことをアピールするようなことをした方が島根のためになるんじゃないかって。島根が好きだから迷っています。大学生になってといろんな世界を見て、自分のコミュニティが学校だけじゃなくなるから、やりたいことって増えてきて、いろいろやりたい。何かそこがマルチワーカーにつながるのかも。

石川　私は、ずっと同じ仕事をやり続けなくてもいい、複数やってもいい、やりたいことやって一つ駄目になっても大丈夫で、リスクが少ないというのも魅力に感じています。

石倉　やってみないとわかんないよね。就職の段階で、一個に絞らなきゃいけないのってリスク高いって思っていた。浦上くんは、都会と地方の両方でマルチワーカーできたらいいいな。

浦上　いろんな働き方があってもいいなって。副業とかもそうだし。会社が認めてくれたらいいなって思います。

危機感のある地域、ない地域

―本のなかで、あえてちょっとここは違う、違和感があった部分ってある?

浦上　違和感…それで思ったのは、「日本の未来は島根が作った」に、はっきりイエスと言い切ったところ。違和感っていうか、議論したい部分というか(笑)、新鮮でもあったし、なんかもうちょっと聞いてみたいな。

石倉　たしかに、イエスって強気だよね(笑)。

浦上　高校魅力化の取り組みとか、県外の人に「島根の教育は進んでいるんだよ」って言われたけど、全然進んでいない地域もあると思っています。いいところばかりに注目が集まるのは気になります。成功事例を何かそのまま真似をしようみたいな風潮がすごく嫌で、深い部分をわかっていないとだめで。簡単に成功と捉えちゃいけないというか。

石倉　私は、今日のみんなとはこうして話せるけれど、隣のおじさんの価値観って全然違うって思っている。どこの大学、企業に行っているからえらいとか、それって偏差値で判断されている感覚。島根最高！って言っても伝わらないものがある気がする。

田中り　隣のおじさん…。

石倉　あーでも、どうなんだろう、さっきのその隣のおじさんには伝わらないって思うのも多分偏見なんですよ。「若いもん頑張っとるじゃん」っていうおじさんも多分たくさんいる。ただ、応援はしてくれると思うけれど、自分の生活には関係ないというか…。

浦上　今のすごく腑に落ちました。たぶん、頑張っとるなって思ってくれるだろうけれど、それを自分ごととして考えてくれるかっていうのはまた別問題。

石倉　違う立場の人間だと判断されそうだよね。「自分にはできないけど頑張って」って、そういうレッテルを貼られそう。

浦上　僕は正直、大学に入ってから、唯一避けてきたのが地元の出雲。出雲は観光客も来るし人も多いし、危機感がない。だから、僕は危機感がある石見で活動する。大学の先輩も言っていたけれど、石見に行けば歓迎されて、自分にこういうことができるんだなって実感できる。でも、出雲で今の自分の能力で本当にできるのかというと、自信がなくて…。

田中り　石川さんは石見で暮らしているけれど大人の危機感とかある？

石川　そうですね。危機感というか、どうにかしないといけないみたいなのがあって、それを原動力に動いている人がいるなって感じます。

石倉　でも危機感ってなきゃいけないのかな。出雲の人たちは、危機感がないことに後ろめたさとか感じてないから。

石川　私の地元の関東だって、危機感を持たなくても暮らしていけるんですよ。私も締め切りがないと宿題とかできないし。何かに追われないと始められない。

石倉　確かに、この集落に住めなくなるかもというぐらいじゃないと、危機感は持てないかも。島根での暮らしを楽しんでいる小中の同級生に、危機感を持った方がいいよって言いたいかというと、そうでもなくて。危機感があることが全てではないというか。

浦上　ただ、何かをやりたい人にとっては危機感がある地域の方がやりやすい。応援してくれる人がいるかどうか。それから先にやっている人がいるかどうか。地域にとって危機感があった方がいいかはよくわからないけど、何かをやりたい人にとっては、受け入れてもらえる土壌があるっていうのはすごく大きいと思います。危機感がなくて成長できるならそれでもいい。何かやりたい人を排除するのはよくない。

石倉　確かに、この人と一緒にやりたいと思えるとか、この人が耕してくれた風土があるからチャレンジできそうとか。ロールモデルがその土地にいるかどうかはすごく大きい。

—この本を、もし薦めるとしたら誰に読んでほしい？

石倉　島根に興味のない東京生まれの大学の友達とかですかね。「島根ってどこだっけ?何もないでしょ」って言ってくる友達に、島根って面白いんだよって読ませたい。

浦上　僕は、何か活動している人にとっては励みにもなるだろうし、島根について全く知らない人に向けては、島根には変わっていく力を秘めているんだって伝えたい。

石倉　励みになる、って分かる。島根のこと嫌いじゃないけど、好きだけど、県外に出ちゃったし、帰りたいけれど、何したらいいか分からない。そんな人に届けたいな。

石川　私は大学の友達。島根で活動するなかで出会う、関わる人の過去を知ることができて面白かったな。それと、島根のことを全く知らなくても、こういう事例があって、こういうことをやっている地域もあるんだよっていうのを、自分の地域に活かせる手がかりを見つけてもらえたらいいかな。

石倉　私は10年前、島根から出たいとしか思っていなかった。その頃からこれだけ地域に向き合っている人がいたんだって。知らなかっただけなんだって。そんな人に向けた教科書になるんだろうな。

「日本の未来は島根がつくる」発刊に寄せて

株式会社MYTURN　田中りえ

私が、山陰中央新報社に勤める輝美さんと出会ったのは2011年。「帰って来られる島根をつくる」というスローガンを掲げ、江津市ビジネスプランコンテストの受賞を機に、安来から江津に移住をし、NPO法人てごねっと石見を設立して間もないときでした。当時、東京支社にいた輝美さんは「そのスローガンいいね！やられたわ！」と応援してくださった一人でした。

Uターンは都落ち、Iターンは変わり者。そんな風潮があったころ、私たちはなにくそ精神で共鳴し合い、その後株式会社MYTURNを設立しました。社名には、地方という課題と可能性にあふれた舞台で、若い世代が「私の出番だ！（It's my turn）」と思える社会を創りたいという思いを込めています。創業から5年、山陰中央新報社からこの本を発刊させていただくことになりました。

企画にあたって、県内の高校生や大学生に向けた島根の教科書を目指しました。特に高校生のみなさんに、島根の魅力を知ったうえで、胸を張って県内外に飛び立ってほしいなと。ただ、「島根の魅力は○○

である」という正解はありません。誰かの言葉を借りたとしても、本当にあなた自身がそう思ったのか、ゆっくり焦らず、時間をかけて考え続けてほしいと思います。この本の内容は、結論ではなく、あくまでもヒントです。自分と地域の未来を考えるうえで、どう生きていくかを自分自身に問い、何が問題なのか自ら考え、明日への行動につながる教科書になれたらと願っています。

一方、若い世代の感性に対して、私たち大人がどう向き合うかも問われています。異なる価値観を許容できるか、失敗を許せる勇気が持てるか、若者が安心して挑戦できる地域をつくれているのか、試されているのは私たちです。もちろん、これまでの取り組みの積み重ねが、先進的と言われるいまの島根をつくっていることは間違いありません。控えめな県民性と言われますが、声高らかに「島根最高！」と叫んでいいのです。ただ、未来は過去の延長線上にはありません。今、この瞬間から島根の未来が始まっているのです。

最後になりましたが、この本を手に取って頂いた皆様、この本に登場いただいた90人以上の皆様に改めて感謝申し上げます。この本をきっかけに、島根の未来をより良いものにできるような新たな出会いが生まれるたら嬉しい限りです。

一人ひとりが私の出番だ！（It's my turn）と思える社会になりますように。

田中輝美（たなか・てるみ）

島根県浜田市出身・在住。大阪大学文学部卒。山陰中央新報社に入社し、ふるさとで働く喜びに目覚める。２０１４年、ローカルジャーナリストという肩書を自らつくり、独立。大阪大学大学院人間科学研究科で関係人口をテーマに研究し、２０２０年、博士（人間科学）を取得した。２０２１年、島根県立大学地域政策学部准教授に着任。また、過疎の発祥地から「過疎は終わった！」と問い、百年続けることを掲げる年刊誌『みんなでつくる中国山地』も仲間と創刊した。主な著書に『関係人口をつくる』（木楽舎）、『地域ではたらく「風の人」という新しい選択』（共著、ハーベスト出版）など。２０１８年度総務省ふるさとづくり大賞奨励賞受賞。株式会社ＭＹＴＵＲＮ取締役。

日本の未来は島根がつくる

二〇二四年四月三十日　初版発行

著者　田中輝美
企画　株式会社ＭＹＴＵＲＮ
発行　山陰中央新報社
〒六九〇-八六六八　島根県松江市殿町三八三
電話　〇八五二-三二-三四二〇（出版部）
印刷　株式会社谷口印刷

ISBN978-4-87903-263-8
C0036　¥1600E